はしがき

　本書は明治大学大学院経営学研究科で提出した博士学位請求論文がベースとなっているが，フィリピンでの現地調査を中心にまとめ直したものである。

　明治大学大学院経営学研究科博士後期課程で指導教授であった大石芳裕教授には，これまで，論文指導をはじめとして忍耐強く多くのご指導をいただいた。適時，アドバイスをくださりながらも，自由に研究させてくださった。同研究科の佐々木聡教授と岡田浩一教授は私の研究に多くのアドバイスをくださり博士論文の執筆に限らず，今後の私の研究に示唆を与えてくださった。佐賀大学名誉教授の岩永忠康先生には，私の前任校である長崎県立大学在任中に九州流通研究会でご指導いただくとともに本書の出版にあたっても多くの助言をいただいている。

　本書の中心となるフィリピンの現地調査にあたっては，NPO法人アクセス（ACCESS）の石川雅国様と野田沙良様には多くのご協力をいただいた。現地調査に当たり，Mr.Noriel Memoracion, Ms.Jane Abogado, Mr.Randy Abogado, Ms.Jenet Mallari, Mr.Gaudi Palmonesはガイド兼タガログ語通訳を務めてくださった。サリサリストア店主の方々をはじめとしてフィリピンの皆様方は快くインタビューに応じてくださった。

　インタビュー調査にあたっては，ネスレ・フィリピン（Matignas, Ryan Joseph, SDC, Sales Operations & Development Group, Gozos, Darwin, Makati Sales Operations & Development Group, Ramos, Neil Bryan, Makati, Channel Category Sales Development, Bareng, Raul, Makati Sales-General Manager），サンミゲル・ブルワリー（代野照幸副社長（当時）），フィリピン・ヤクルト（Enriquez, Sales Manager, Direct Sales Department）には多くのことを学ばせていただいた。

　フィリピンで調査を開始してから10年余りの月日が経ったものの，農漁村

部を中心に大きな変化はみられず，調査開始時とサリサリストアの状況は変化していない。その一方で富裕層が住むマニラ首都圏の一部と農漁村部においては，ますます経済格差が広がるばかりである。そのような中，フィリピンの人々にとって欠くことのできないサリサリストアとその消費者の多くを占めるBOP層について，本書が読者の理解の一助となれば幸いである。

　ここではすべてを書ききれないが，多くの方々から多大なるお力添えをいただいた。改めて感謝申し上げたい。研究成果を出版という形で世の中に出せることは大きな喜びである。

　なお，本研究はこれまでに受けた以下の交付による研究の成果の一部である。「明治大学大学院海外研究プログラム」2010 ～ 2013 年度。「長崎県立大学学長裁量教育研究費」2015 ～ 2016 年度。「東南アジアにおける現地小売企業の自己革新に関する研究」課題番号：20K01848，日本学術振興会，2020 ～ 2022 年度。記して感謝申し上げる。

　最後に，本書の出版および編集・校正に多大の労をおかけした株式会社五絃舎の代表取締役長谷雅春氏，五絃舎編集部各位に厚く感謝する次第である。また，本書は現在の勤務校である立命館大学の学術図書出版助成を受けたものである。

　2021 年 7 月

舟橋 豊子

目　次

※本書に掲載されているインタビュー集計のデータについて，URL（QR コード）
は以下の通りです。

https://drive.google.com/file/d/1xDmUucJpejJBA-ExX5MCZz2fhVBAFhT_/
　view?usp=drivesdk

目次（図表）

フィリピンのサリサリストア

―流通構造と人々のくらし―

Sari-Sari Stores in the Philippines

序　章

1. 本書の目的

　本書では，フィリピンにおいて BOP 層[1]の消費活動に大きな役割を果たしてきた零細小売店サリサリストア（sari-sari store）[2]を中心に，商品の流通や仕入・販売方法，BOP 層の購買力を解明していきたい。

　フィリピン市場において，従来のビジネスには取り込まれてこなかった貧困層が巨大な潜在市場として注目されている。その一方で，低所得者を対象としたビジネスに取り組むことを躊躇している企業も多い。例えば，1日2米ドル程度[3]で生活する人々を相手にビジネスが成り立つのだろうかという疑問もあろう。本書では，BOP 市場の可能性と市場戦略の方法をフィリピンの零細小売店サリサリストアの研究によって検討していく。なお「サリサリストア」とはフィリピンにおける日用品から食料品まで様々な商品を取り扱う零細小売業の総称である。

　1980 年代より国際化の展開に伴って，複数国に生産やサービスの拠点を置いてグローバルに活動する多国籍企業は巨大な新興国市場に目を向け始め，従来のビジネス構造には取り込まれなかった新興国の貧困層が巨大な潜在市場として注目されるようになってきた。Hammond, et al. (2007) の報告書 "The

---

[1]　1998 年 Prahalad & Hart が「BOP」を着想。「BOP」とは所得層を構成する経済ピラミッドの下層を表し，もともとは the Bottom of the Economic Pyramid と呼ばれていたが，現在は the Base of the Economic Pyramid の略とされる。「Pyramid」とは「所得層を構成する経済ピラミッド」であり，世界の富の分配と収入を生み出す能力を表す。

[2]　サリサリ（sari-sari）はタガログ語「種々の」という意味である。

[3]　米ドル，購買力平価。（世界銀行は 2015 年に国際貧困ラインを1日 1.25 米ドルから 1.90 米ドルに改定），The World Bank, "Piecing together the poverty puzzle", https://openknowledge.worldbank.org/bitstream/handle/10986/30418/9781464813306.pdf, pp.67-69（最終閲覧日：2021 年 1 月 30 日）。

Next 4 Billion" では，所得層を構成する経済ピラミッドの下層を表す「BOP」を開発途上国における世帯当たり年間所得 3,000 米ドル[4] 未満の人々と定めた。これは世界の総人口のうち約 72％ を占める約 40 億人に当たり，5 兆米ドルにも上る有望市場であるという。しかし，このような経済ピラミッドの下層の人々を対象として本当にビジネスが成り立つのだろうか。この BOP 層をビジネス対象とするには，まず BOP 市場における流通や消費の実態を把握することが重要である。

フィリピン全土でみられるサリサリストアは，長年にわたり営業されており，フィリピンにおいて人々の消費活動に大きな役割を果たしている。生産者から消費者へ商品を届ける流通チャネル[5] においても重要な役割をもっている。本書ではサリサリストアに着目して，サリサリストアにおける取扱商品や仕入・販売方法，消費者の購買力等を解明していく。次に，サリサリストアの主要取扱商品である加工飲料食品の流通チャネルを明らかにする。最後にサリサリストアを重視している製造会社の流通戦略について考察していく。このサリサリストアを研究することは，フィリピンの BOP 市場における流通と消費の実態を解明し，今後の BOP 市場への展開の展望への途を拓くものと考える。

東南アジア途上国の流通研究では，川端（2005）がアジア市場全般について，遠藤（2010）などがタイについて，フィリピンについていえば日本貿易振興機構（2011）や舟橋（2013）などが伝統的流通機構は依然として重要な役割を果たしていると述べ，流通チャネルについて取りあげてきた。フィリピンの流通研究については他国と比較して，未開拓分野であるため資料を得るには政府統計資料も十分になく，金融機関，民間調査会社などの調査データや報告書に頼るところが多い。

そのため，本書では，零細小売店サリサリストアとフィリピンの加工飲料食品の流通チャネルに比重をおきながら，これまで解明できなかったフィリピンの流通とフィリピン市場を聞き取り，調査を中心に見出していきたい。

---

[4] 米ドル，購買力平価。
[5] 流通チャネルとは，生産者から消費者へ商品を届けるための流通経路のことである。本書では，各企業が構築している経路は「チャネル」と表記する。

　フィリピンは，現在，都市部を中心に大きな経済発展をとげているが，地域ごとに大きな経済格差がみられ，近代的小売業と伝統的小売業が共存する多様な流通チャネルがみられる。そのような混沌とした変動期にあるフィリピンについて，先行研究や現地調査からフィリピンの流通チャネルにおける零細小売店サリサリストアの役割（流通とフィリピン市場への可能性）を解明することは意義があるといえよう。

2. フィリピンの概況

　フィリピンは面積が 299,404㎢（日本国土の 80％割合）あり，7,109 の島々から構成され，17 の行政地区から成り立っている。主要な島は，ルソン島，ミンダナオ島，サマール島，ネグロス島，パラワン島，パナイ島，カタドゥアネス島，ミンドロ島，レイテ島，セブ島，ボホール島，マスバテ島，スールー諸島等である。マニラ首都圏やセブ市内に人口が過度に集中している一方で農漁村は過疎化しており，仕事も十分になく現金収入も少ない。周辺は海に囲まれているため国内の物流は陸上輸送と海上輸送に頼る。

　2019 年 8 月にはフィリピンの人口は 1 億 811 万 7,000 人となり，世界で 13 番目，ASEAN ではインドネシアに次いで 2 番目の人口である[6]。

　Philippine Statistics Authority（2019）によると，2010 年から 2015 年平均の人口増加率は 1.73％であり年齢別人口構成比率（2015 年）は，0 〜 14 才が 31.8％，15 〜 64 才が 63.4％，65 才以上が 4.7％であり，平均年齢が 27.9 才（中間値が 24.3 才[7]）余りの若い人々から成り立っている。地域別人口構成比率（2017 年）は，都市部が 46.7％，農村部が 53.3％であり，限られた都市部に人口が密集している[8]。

---

[6]　United Nations, "Department of Economic and Social Affairs Population Dynamics", https://population.un.org/wpp/Download/Standard/Population/（最終閲覧日：2021 年 1 月 30 日）。

[7]　国立社会保障・人口問題研究所，「人口統計資料集 2018」，http://www.ipss.go.jp/syoushika/bunken/data/pdf/jinkokenshiryu338.pdf，p.35（最終閲覧日：2021 年 1 月 30 日）。

[8]　United Nations, "Department of Economic and Social Affairs Population Dynamics", https://population.un.org/wup/Country-Profiles/（最終閲覧日：2021 年 1 月 30 日）。

図表 1　フィリピンの地図（主要な島の面積と 17 行政地区）

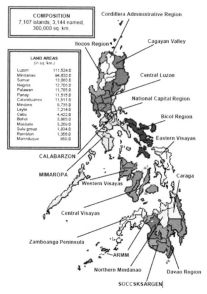

出所：Philippine Statistics Authority（2015），p.iv.

　フィリピン 1 世帯当たりの年間所得（全国／ 2015 年）は，平均 19 万ペソ（約 38 万円）である。25 万ペソ（約 50 万円）以上の世帯が 35％あるが，10 万ペソ（約 20 万円）〜 25 万ペソ（約 50 万円）未満の世帯が 45％，10 万ペソ（約 20 万円）未満の世帯が 20％と 25 万ペソ（約 50 万円）未満の世帯が全体の 65％を占めている。Philippine Statistics Authority（2016）では，フィリピン 1 世帯当たりの年間所得（全国／ 2012 年）は，平均 18 万ペソ，10 万ペソ未満の世帯が 29％である。当時は 25 万ペソ未満の世帯が 8 割を占めていたので，3 年間で 10 万ペソ未満の世帯を中心に 1 世帯当たりの年間所得がやや上向いたといえるが，2020 年には新型コロナウイルス（COVID-19）によって職を失う人も出てきている。

　名目 GDP（2019 年）が 3,568 億米ドル，1 人当たり GDP（同）が 3,294 米ドルである[9]。家電製品などの耐久消費財の需要が急増するといわれる 3,000 米ド

---

[9]　外務省，「フィリピン基礎データ」，http://www.mofa.go.jp/mofaj/area/philippines/data. html（最終閲覧日：2020 年 12 月 6 日）。

ルを 2018 年に超えた。産業構造からみると，基本的に農業国であり，製造業は
タイやインドネシアほど発達しておらず，労働人口が商業やサービスなどの第 3
次産業にシフトしている [10]。フィリピン経済の特徴として財閥 [11] による寡占が
ある。植民地時代・独裁時代に一部の特権階層が経済を独占してきたアシエン
ダ制（大農園）の影響がいまでも残っており，ヘンリー・シー率いるシー財閥，
食品会社ユニバーサル・ロビーナで有名なゴコンウェイ財閥，不動産開発で成
功したアヤラ財閥など，大型財閥に富の集積が進んでいる [12]。

　2010 年から 2016 年までのベニグノ・アキノ 3 世政権では，経済成長への
取り組みがおこなわれ，フィリピン証券取引所の総合株価指数が過去最高に
なった。GDP 成長にもつながり，ASEAN 加盟国の中で最も高い成長率を保っ
てきた。2015 年の実質 GDP 成長率は 5.8% であり 2009 年のリーマンショッ
クを除けば安定した経済成長を遂げている。これは 184 万人の海外労働者に
よる送金の効果も大きい。2016 年 6 月に誕生したロドリゴ・ドゥテルテ政権
では，ドゥテルテ大統領の強力なリーダーシップのもと，治安政策や投資企業
の誘致に力を入れている。2019 年度の GDP 経済成長率は 5.7% とベニグノ・
アキノ 3 世政権から引き続き好調である。

　筆者は現地調査の場所にルソン島，サマール島，レイテ島を選んでいる（第
5 〜 7 章参照）。ルソン島は首都マニラを有し，富裕層が住む地域，都市スラム，
山岳地帯，農漁村と多種多様な特徴をもっており，フィリピン各地の流通につ
いて比較検討するにあたって最適である。またサマール島やレイテ島の調査に
よって，首都マニラから離れた島の流通網を知ることができる。

　主要産業は図表 2 にみられるように第 3 次産業のサービス業である。タガロ
グ語を基本としたフィリピノ語と並んで英語が公用語のため，BPO（Business
Process Outsourcing）事業 [13] が発展しており，産業を含めたサービス業が大きく

---

[10]　桂木（2015），p.83。
[11]　財閥は家族（複数構成員）または同族（血縁関係にある複数家族）による家意識で結ばれた多角
　　的企業集団と定義される」，米川（1981），p.6。この研究においては「財閥」を同族による多角
　　的企業集団と再定義して進める。
[12]　桂木（2015），p.83。
[13]　企業が核となる事業以外の業務過程の一部を，外部の専門業者に委託すること。

図表 2　産業別就業者の割合（2019 年実績）

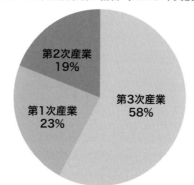

出所：外務省，「最近のフィリピン情勢と日・フィリピン関係」，
https://www.mofa.go.jp/mofaj/area/philippines/kankei.
html（最終閲覧日：2021 年 1 月 30 日）より作成。

成長し，現在では全就業人口の約 58％が従事している。また公用語の一つが
英語という強みを活かして，家政婦，看護師，医師，技術者，教員などの海
外就労が盛んであり，国内では BPO の典型であるコールセンターで働く者も
多い。給与が比較的高く，夜間勤務もある BPO 従事者が多いマニラでは，コ
ンビニエンス・ストアの利用が多い。

　フィリピンは，日本から距離が近く，飛行機で 4 時間程度の場所にあり，時差
は 1 時間である。労働力，消費者としての若年層が多く，経済発展の余地も大き
く，将来性がある。

　フィリピンにおける経済発展指数は，数字でみる限り 1988 年度ごろから急
速に上昇している。マニラやセブなどでは建設ブームがみられるが，これは
ほんの一部の都会に限られた現象であって，その他ほとんどの地域では貧困層
が大部分を占め，旧態依然とした状況である [14]。

　三木（1993）は，今から 30 年前のフィリピンの状況について述べているが，
セブなどのいくつかの都市の発展がみられる以外は現在に共通することが多い。
ここ 10 年程度，フィリピンの経済成長が注目されている。しかし，都会では中
間層が増えてきたものの都市部と農漁村部の格差は現在も変化していない。フィ

---

[14]　三木（1993），pp.147-148。

リピン全般からみれば，この国の大部分の地域は，多くの島々に分散している農漁村を主体としており，そこが全人口の 53.3%[15] を占めている。

　経済格差がみられるフィリピンにおいて下層の人々がどのように商品を得て生活の利便性を得ているだろうか。統計資料だけでは明らかでないフィリピンの状況，特に，フィリピンの多数を占める下層の人々の購買力，彼らを取り込む製造会社のチャネル戦略に関心をもった。

　そこで，本書はサリサリストアと呼ばれる零細小売業を中心に研究を進める。サリサリストアに着目する理由は，フィリピン全土にみられる零細小売店であり，都市商業地，都市スラム，山岳地帯，農漁村を問わず人々の生活に欠かせないこと，また国内，国外製造会社の加工飲料食品を多く取り扱っており，サリサリストアの調査から，これら商品のチャネルも把握することができると考えたからである。

　フィリピンの流通や加工飲料食品チャネル，零細小売業を介したチャネルの研究はいまだ十分にされていない。フィリピンの流通に関係した研究はあっても，農産物チャネルやコンビニエンス・ストアなどの近代的小売業の研究に偏っており，この空隙を埋める必要がある。

3. 分析の視点と方法

　フィリピンの流通チャネルにおける零細小売店の役割をサリサリストアの実証研究から把握する。フィリピン全土にみられるサリサリストアは，フィリピンの流通チャネルにおいて，その役割の重要性が指摘されながらも，その実態が必ずしも十分に把握されていなかった。そのため，本書ではサリサリストアの実態の役割と機能を解明していきたい。

　まず，文献や統計データからフィリピンの市場や小売業，チャネルについて取り上げ，第 4 章では零細小売店サリサリストアに着目し，第 5 章以降では現

---

[15]　United Nations, "Department of Economic and Social Affairs Population Dynamics", https://population.un.org/wup/Country-Profiles/（最終閲覧日：2021 年 1 月 30 日）。2017 年データ。

地調査をおこなう。最初に，サリサリストアにおける取扱商品や仕入・販売方法，消費者の購買力等を把握する。次に，多くのサリサリストアでみられる加工飲料食品の流通チャネルについて明らかにする。そして，最後にサリサリストアと製造会社との関係性をみていく。

4. 本書構成

本書の構成は以下の通りである。

第1章では「フィリピンにおける BOP 市場」について，フィリピンの BOP 層の実態について既存文献や現地視察から記述し，BOP 市場への参入可能性について先行研究の批判的検証をふまえて検討する。

第2章では「フィリピンにおける小売業の現状と変遷」について，概観し検討する。

第3章では「加工飲料食品の流通チャネルの検討」について検討する。まず流通の四つの流れ（商流，物流，情報流，金融流）を確認し，とりわけ加工飲料食品の流通チャネルについて検討する。

第4章では「零細小売店サリサリストア」と題して，サリサリストアの特徴を明らかにする。零細小売店とサリサリストアについての定義や現状，サリサリストアの役割などについて取り上げる。

第5章，第6章は「零細小売店サリサリストアの役割」を現地調査から導き出しており，第5章では「農漁村のサリサリストア」について，第6章では「都市部のサリサリストア」について，現地調査の結果を記述する。

第7章では「製造会社におけるサリサリストアの役割」について，製造会社のチャネルの中でサリサリストアがどのような位置づけにあるか，フィリピン・ヤクルト，ネスレ・フィリピン，サンミゲル・ブルワリーを例に記述した。

終章では「本書のまとめと今後の課題」について述べている。巻末には参考文献やインタビュー票を添付した。なお，本調査におけるインタビュー集計は目次に記載のある URL（QR コード）で閲覧できる。

第 1 章　BOP 市場とフィリピン市場への可能性

はじめに

　本章では，日収 3.2 米ドル[16] 以下の生活をしている人々が総人口の 26%[17] を占めるフィリピン市場の特殊性を考察し，BOP 市場とフィリピン市場への可能性について検討していく。

　第 1 節では「BOP 市場」の概要について Prahalad & Hart（2002）や Hammond, et al.（2007）等の研究から考察している。第 2 節では「BOP 市場の課題」について，(1) 市場規模，(2) 収益性，(3) 投資の回収，(4) 商品選択に与える影響，(5) パートナーシップ，(6) 環境問題，(7) 事業の有効性の観点において検討している。第 3 節では「BOP 市場への参入戦略」について，課題を克服するに際しての企業の参入戦略について先行研究から述べている。そして，第 4 節では「フィリピン市場と消費活動」について，BOP 層を対象とした事業を考えていくうえでの具体的事例としてフィリピンについて考察する。

　本章での実証的検討によって導き出される論理展開は，実際のフィリピンのBOP 市場やビジネスの可能性についての理解を深め，後章のヒアリング調査へと結びついている。

---

[16]　米ドル，購買力平価。
[17]　The World Bank, "Philippines Economic Update October 2019", https://www.worldbank.org/en/country/philippines/publication/philippines-economic-update-october-2019-edition（最終閲覧日：2021 年 1 月 30 日）。

12

1. BOP 市場について

「BOP」という用語は Prahalad と Hart によって 1998 年に執筆された研究報告書 "The strategies for the bottom of the pyramid" ではじめて使われた[18]。ここでいう「pyramid」とは，「所得層を構成する経済ピラミッド」であり，世界における富の経済の階層性を表している。経済ピラミッドの上部 TOP は富裕層であり，経済ピラミッドの下部 BOP は 1 日 2 米ドル未満（購買力平価）で暮らす貧困層で形成されている。

Prahalad & Hart (2002) は，この BOP を年間所得 1,500 米ドル未満（購買力平価）で暮らす人々と規定していたが，Hammond, et al. (2007) の報告書 "The Next 4 Billion" では，図表 1-1 のように，BOP を世帯当たり年間所得 3,000 米ドル未満（購買力平価）の人々と再定義しており，世界人口の約 72%を占める 40 億もの人々が存在する 5 兆米ドルの市場であるという。

Hart (1997) は，世界の貧困，格差の拡大，第三世界における環境破壊について問題提起をするとともに，「持続可能性」の側面からみた経営戦略について述べている。Prahalad & Liberthal (1998) は，中国とインドの新興市場を中心に，これまで多国籍企業の唯一の戦略的ターゲットであった富裕層だけでなく，中流層や低所得者層に進出する機会と課題について取り上げ，世界には充足されないニーズと巨大な潜在市場が存在すると指摘する。Prahalad (2004) は，「貧困緩和」や「貧困層」という用語は，歴史的に情緒的な意味合いを含んでいるが，製品やサービスの「潜在的市場」でありながら無視されてきた消費社会にも目を向けるべきだと主張する。そして，BOP にある人々を慈善や援助の対象ではなく「顧客」とみなし，そのためには，製品やサービスの開発にイノベーションが必要であると指摘している。

これまで多国籍企業は，グローバル市場を単一のものとしてみがちであった

---

[18] Prahalad はもともと Bottom of the Pyramid と呼称したが，後に the Base of the (Economic) Pyramid という用語に変更した。

図表 1-1　世界の経済ピラミッド

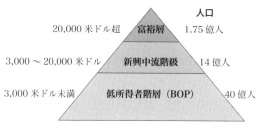

出所：Hammond, et al. (2007) より作成。
注：年間所得は米ドルに購買力平価で換算。

(Hart & Milstein, 1999)。しかし，市場は様々な可能性を秘めているともいえる。Prahalad (2004) や Hart (2007) は，BOP層を潜在的な顧客とみなしている。企業はBOP層をターゲットとすることによって巨大な富を築き，貧困者は消費選択の幅が広がって生活が豊かになる。したがって，貧困層のニーズを中心とした市場を現地の人々と共創し，現地雇用を創出することが貧困緩和につながると述べる。

　Hammond, et al. (2007) も，BOP市場は約5兆米ドルにも上り，有望市場であるという。このうち，水は200億米ドル，情報通信技術は510億米ドル，医療は1,580億米ドル，運輸は1,790億米ドル，住宅は3,320億米ドル，エネルギーは4,330億米ドル，食品は2兆8,950億米ドルの市場である[19]。またHammond, et al. (2007) は，製品やサービスを供給する企業においては事業を営むとともにBOP層の生活水準の向上を目指すことが必須であるという。

　Prahalad (2004) は，投資力や優れた技術，マネジメント力をもった企業の能力を生かし，新しい貧困の解決策を生み出すことに着目した。大企業による慈善事業は，短期的にみれば貧困層に大きな貢献をすることができるが，ビジネスとは結びついていないため，持続的活動には結びつかないことが多い。そのために，貧困者自身が市場に積極的に関わって経済的自立を目指すことができる仕組みをつくることが必要だと述べる。

[19]　Hammond, et al. (2007), p.3, p.9.

　一方，新興国の貧困層が巨大な市場として注目される中で，BOP 市場のビジネスとしての有効性に疑問を投げかける見解も多い。以下に，BOP 市場の課題について取り上げる。

2. BOP 市場の課題

(1) 市場規模

　Hammond, et al.（2007）は，BOP 層の市場規模が，約5兆米ドルにも上ると述べているが[20]，一方，Karnani（2007）は，実際には 0.36 兆米ドル程度にすぎない小規模な市場であるという[21]。貧困層が多く住む農村は集落が散在しており，ローカル企業も存在するため利益が少ない市場であると指摘し，多国籍企業が参入する余地はないという。Prahalad & Liberthal（1998）は，BOP 層は大規模なグループであるが，地元の慣習や個人的習慣を重んじ，地元の製品びいきの者が多くみられるため BOP の最下層の人々については，近い将来に購買意欲の高い消費者になる可能性は少ないと指摘している[22]。Karnani（2007）は，BOP 層は可処分所得が少ない点を指摘する[23]。BOP 市場では，たとえ，企業が意欲的であったとしても，すべての企業，商品，サプライチェーンが可能なわけではない。情報通信や日用消費財，医薬品等の業界は別として，巨大企業がコストをおさえて低価格で貧困者に製品を販売することは，困難である。Karamchandani, et al.（2011）は，BOP 層を対象とした事業は，結局，利益を度外視した社会貢献活動になりがちであるという[24]。

(2) 収益性

　BOP 市場では薄利多売が求められる一方で，多国籍企業が通常用いるサプラ

---

[20]　Hammond, et al.（2007），p.3.
[21]　Karnani（2007），p.91.
[22]　Prahalad & Liberthal（1998），p.71.
[23]　Karnani（2007），p.100.
[24]　Karamchandani, et al.（2011），p.100.

イチェーンや生産方式，デリバリーシステムには，非常に多くのコストがかかる。例えば，農産物を生産する場合，小規模農家や地方の農家に対しては最低賃金を支払うだけで済むが，農家向けの種や苗の配達，収穫された農作物の集荷，企業による生産地の視察，遠方で実施するトレーニング等には莫大な費用がかかる。コカ・コーラは，ウガンダのジュース生産を，採算がとれないために中止した[25]。

　多くの多国籍企業にとって，新興国市場への参入は，新しいカテゴリーの製品やサービスの導入を意味する。現地の嗜好や習慣を反映する食品などについては，無料サンプルの配布や有名人を起用した啓蒙活動にはコストがかかる[26]。

　事業の対象となる顧客の数は多いが，過疎地に散在することが多いため，フェース・トゥ・フェースのビジネスでは採算がとれない。耐久消費財についていえば，保証期限内の修理や部品交換に多くの費用がかさむ。そのため，修理担当者のトレーニング不足や商品の横流しといったリスクも伴う。商品やサービスのメンテナンスが必要なビジネスエコシステムは，BOP 市場では機能しないことが多くあり[27]，収益を生むシステムの構築が課題である。

（3）投資の回収

　新興国市場は，非効率的な流通システムや本来あるべき機能が十分に働いていない金融機関，国の隅々にまで商品が行きわたらない物流など，インフラに問題がある。新しい市場を創造すれば巨大な富が見込まれるが，マネジメントが複雑で投資額が大きい[28]にも関わらず，投資を回収するのに長い年月がかかる。グラミン銀行は，マイクロクレジットという新しい市場を創造した成功例であるが，グラミン銀行でさえも初期には，マイクロクレジットに取り組んだ顧客の生活が安定し，ビジネスモデルがある程度の規模になるまでには 6 年かかった[29]。

---

[25]　Karamchandani, et al. (2011), p.100.
[26]　Prahalad & Liberthal (1998), pp.72-73.
[27]　Karamchandani, et al. (2011), p.110.
[28]　Prahalad & Liberthal (1998), p.74.
[29]　Simanis (2010), p.110.

(4) 商品選択に与える影響

BOP 層向けビジネスが本業に与えるネガティブな面もある。低所得者向け商品と認識されることによって，ブランドイメージが落ちることや低価格商品の出現によって，中価格帯商品が売れなくなる可能性がある。さらには，インフォーマル経済にある競合相手を企業は見落としがちである。例えば，フルーツジュースを取り扱う企業は露天商が競合の場合もあり，地域の人々から事業のボイコットを受ける可能性がある[30]。

(5) パートナーシップ

BOP 市場では，顧客を深く知るために，多国籍企業が NGO や他の組織とパートナーシップを築くことが推進される。しかし，実際には多くの企業が，他の組織とパートナーシップを組むことを諦めている。それは，社会的貢献かビジネスかという優先順位の違いや，求める品質基準の違い，もしくは意思の疎通がうまくいかず，パートナーに対して疑心暗鬼になること等による[31]。

(6) 環境問題

少量パッケージは BOP 層の消費活動を可能とするため BOP 市場で推奨されがちであるが，使い捨てを招き環境に配慮していないともいえる[32]。Hart(2007) は，需要の拡大によって石油や金属等の再生不能資源や土壌，漁業，森林といった再生可能資源が枯渇し，生態系バランスの崩れる可能性があると指摘する[33]。

(7) 事業の有効性

BOP 市場で有益とされている事業の一つであるマイクロファイナンスは，銀行で融資を受けることが困難な BOP 層が，小規模小売店などの起業や商品購入

30　Karamchandani, et al. (2011), p.110.
31　*Ibid.*, p.100.
32　Karnani (2007), p.95.
33　Hart (2007), pp.38-40.

のために非営利機関等から貸し付けてもらえる制度である。しかし，銀行から融資を受ける場合よりも金利が高いことが多いため，借金が増えていくケースもある。Karnani（2007）は，マイクロファイナンスが本当に貧困を緩和させているのかどうか裏付けがないという[34]。

3. BOP 市場への参入戦略

　BOP 市場参入の課題について取り上げてきたが，課題を克服するに際して企業はどのような戦略を取ればよいのだろうか。BOP 市場への参入戦略は偶然に成功するわけではない。富裕層や先進国の消費者と同じようなマーケティング戦略では，失敗に終わるだけであり，新規市場への積極的な取り組みが必要といえる。

(1) 市場規模
　市場規模が十分な収益をだすには小さすぎるという懸念への対応策としては，以下の通りである。

1) 市場の創造
　Simanis（2010）は，「市場参入」と「市場創造」を明確に区別して考える。既存の BOP 市場に参入することが「市場参入」であり，消費者や競合他社の綿密な調査が必要である。しかし，対象となる規模が限られており，既存の BOP 市場に参入しても「富」は望めない。

　一方，新たな BOP 市場を創造することは「市場創造」であり，この新しく，手つかずの市場には，巨大な富が見込まれる。したがって，既存の市場に参入するのではなく，新しい市場をつくることが不可欠であるという[35]。

2) 新しい市場の開拓
　次に新しい市場の開拓があげられる。たとえ世界に 5 兆米ドル規模の BOP 市

---

[34]　Karnani（2007），p.103.
[35]　Simanis（2010），p.110.

18

場があったとしても，低所得者層は所得が少ないため購買力に不安が残ること，あるいは低所得者層が多く住む農村は散在していることから，将来的に収益をあげられるのかという不確実性がある。

一方，Eyring, et al. (2011)[36] は，新興国市場では最初に巨大な中間層の市場に参入することを勧める。この中間層は，富裕層向けに販売している最低価格帯商品でさえも手に入れることはできないが，購入可能な低価格帯の冷蔵庫や洗濯機の性能では満足できない。この中間層向けの市場に参入することで，企業はみたされていないニーズを認識し，顧客が購入しやすい新しいビジネスモデルを構築できるようになるであろう。

企業は，価格帯，購入機会，使いやすさを追求することにより，巨大な市場を獲得できる。つまり，顧客となる人々の生活やニーズを理解することで，製品の余分な機能を省き，既存製品を改良して低価格で販売することができる。そのため，デザインや設計の変更，部品の簡素化が期待される。中間層向けに開発された製品は，親戚や家族との共同購入や支払方法によっては，低所得者層にも入手可能となるであろう。また Eyring, et al. (2011) は，顧客のみたされていないニーズをみつけるためには，顧客がある製品を使って何をしているのか聞くことを勧めている。

3）販売方法

消費者が購入可能な方法を見出すことが必要である。例えば，使い切りの小さい個装にして販売すれば BOP 層も購入することができる。宣伝広告には現地市場に的を絞った戦略が求められる[37]。フィリピンのテレビコマーシャルでは，多くの日用消耗品や食料品の宣伝に価格が表示されている。コマーシャルにある，ほとんどの少量パッケージの商品が 5 ペソ（日本円で 10 円相当[38]）であり，商品のよさと同時に買い求めやすさをアピールしている。1,000 ペソはフィリピンで一番高額な紙幣であり，フィリピンの消費者にとって，感覚的には日本の

[36] Eyring, et al. (2011), p.90.
[37] Prahalad & Liberthal (1998), p.73.
[38] フィリピン通貨 1 ペソ＝約 2 円。

1 万円に相当するといわれる。5 ペソは日本の感覚からいえば，50 円といった
ところであろうか。また地域のネットワークによる口コミの活用や，実演販売
を通して商品の愛好者を増やすことも有用であろう。

　ユニリーバのインド子会社であるヒンドゥスタン・ユニリーバは，食料品や
雑貨等を扱う地元の小規模小売店（パパママストア）を通して，ウィール（Wheel）
というブランド名で，インドの硬水に適した少量パッケージの洗剤を販売して，
都市の洗剤市場に参入することに成功した。この小規模小売店は，地域に綿密
なネットワークをもち，数多くの店舗がある[39]。

4）支払方法の選択

　多くの企業は，価格を下げることに力を注ぐが，BOP 層が経済的に不安定な
状態の中で生活していることを見落としている。少量販売や後払い・分割払い
といった方法によって BOP 層であっても購入が可能となる。また消費した量だ
け支払うという方法もあり，ガーナにおける私立の初等教育やインドの灌漑用
ポンプ，フィリピンの飲用水の浄水の支払いがあげられる[40]。

　1952 年に創業されたブラジル最大の小売業の一つであるカサス・バイアの場
合は，ブラジルの貧しい地域において 1,000 万人を超える顧客をもつ。主な顧
客はスラム街の住民であるが融資を組み合わせることによって，約 1,880 億円
の売上高を達成している[41]。

5）BOP 層に対する可処分所得の増加

　企業は BOP 層の労働に対して適正な賃金を支払うことで，BOP 層の可処分所
得を増やすことが可能となる。また BOP 層の能力を生かし，生産性向上のため
にトレーニングをおこなうことで，地元の雇用創出に貢献できる[42]。ヒンドゥ
スタン・ユニリーバは有名な「シャクティ・プログラム」で販売代理店の研修
を実施して雇用を創出した。アフガニスタンの携帯電話ネットワーク会社であ
るシャロンも，零細小売店へのトレーニングによって成功している。企業が自

---

[39]　Simanis（2010），p.117.
[40]　Karamchandani, et al.（2011），p.108.
[41]　Prahalad（2004），pp.207-210.
[42]　Karnani（2007），p.91.

社の経済的成功と顧客層の経済的成功とを結びつければ, 多くの利益を上げることができる[43]。

(2) 収益性

BOP市場は薄利多売であるにも関わらず, 多国籍企業が用いるサプライチェーンや生産方法, 配送システムには, 非常に多くのコストがかかる。また商品やサービスのメンテナンスが必要なビジネスエコシステムは, BOP市場では機能しないことが多くある[44]。現地の嗜好や習慣を反映する食品については, 無料サンプルの配布や啓蒙活動にコストがかかる[45]などのBOP市場に向けての課題はあるが, 以下のような解決策もみられる。

1) ビジネスモデルの再構築

収益の改善にはビジネスモデルの再構築が求められる。

新しいビジネスモデルをつくることができる企業はBOP市場に伴う障害を乗り越えることができる[46]。そのために, 多国籍企業は経営資源の見直しやコスト構造の見直し, 製品開発工程の再設計, 新しい発想を得るうえでも経営陣の文化的多様性に取り組む必要がある[47]。インフォーマル市場に適応できることが必要であり, 形式的な貿易書類や証明書を必要とする企業には向かない[48]。

企業の資本効率を改善するうえで, サプライチェーン・マネジメントは重要である[49]。Karamchandani, et al. (2011)[50] は, 成功企業は, 企業のバリューチェーンの中に多くの小規模サプライヤーを取り入れていることをあげ, Volticの事例を述べている。

中流層向け飲料水製造会社のボルティック・ガーナは, ガーナのBOP層をター

---

[43] Rangan, V.K., et al. (2011), p.114.
[44] Karamchandani, et al. (2011), p.109.
[45] Prahalad & Liberthal (1998), pp.72-73.
[46] Karamchandani, et al. (2011), p.111.
[47] Prahalad & Liberthal (1998), p.79.
[48] Karamchandani, et al. (2011), p.109.
[49] Prahalad & Liberthal (1998), p.74.
[50] Karamchandani, et al. (2011), p.111.

ゲットとして，日用品市場で良質な商品を販売するという革新的な戦略を用いた。現在では，インフォーマルな商人によって 500ml のプラスチックパウチで販売地域が拡大している。人気の秘密は保冷袋にあり高品質商品として販売される。最初は首都アクラの工場で集中的に生産されたが，貧困層が住む各地域に流通させるには，多くの物流コストや配送コストがかかった。そのため，各都市に工場とフランチャイズを設置した。

　毎日品質が管理されている飲料水は，露天商や行商人によって販売される。フランチャイズに運営コストはかかるが，運搬に投資する必要がなく，ブランドも保つことができた。その結果，毎日，50 万個もの飲料水のプラスチックパウチが販売されている。

2) 商品開発

　多くの多国籍企業にとって，新興国市場への参入は新しいカテゴリーの製品やサービスの導入を意味し，また新興国市場では既存製品について設計変更が求められる[51]。

　新規市場に向けて，従来とは違う志向をもった商品開発に寛容な企業風土が必要である。またこれまで多くの投資がされた技術力を転用して，利潤の低いBOP 市場製品の開発に取り組む環境が求められる[52]。本社のトップマネージャーではなく，現場に精通した国ごとのマネージャーに権限をもたせ，商品開発についても，従来とは違った評価基準を設ける必要がある[53]。

　ニーズと需要は異なる。多くの企業は，BOP 市場の製品開発のために時間や資源を消耗しているが，消費者はその製品を望んでいるとは限らない。例えば，ソーラーパワーの手提げランプや低エネルギーコンロ，携帯電話，金貨のうちどれが欲しいかを尋ねる調査では，85%の消費者が携帯電話と金貨を選んだ[54]。消費者は，ランプやコンロのように既存商品があるものについては，従来よりも低価格でよい品質を求めるか，単に安い商品を望むのである。環境に配慮し

---

[51] Prahalad & Liberthal (1998), p.73.
[52] Karamchandani, et al. (2011), p.109.
[53] Prahalad & Liberthal (1998), p.75.
[54] Karamchandani, et al. (2011), p.109.

たソーラーパワーの手提げランプや低エネルギーコンロといった商品が最も望まれているわけではない。

(3) 投資の回収

BOP市場については，市場創造に長期的に取り組む姿勢が求められる[55]。薄利多売のビジネスであるため，他の市場よりも投資を回収するのに時間がかかる。

BOP層を対象とした投資には，入念な準備が必要であり[56]，Karamchandani, et al.（2011）は，BOP市場に取り組むための企業の条件としてリーダーが長期的志向であることをあげる[57]。

(4) 商品選択に与える影響

BOP層向けビジネスをすることによって，下層向けの低価格商品などといったイメージ低下を危惧する場合には宣伝広告のしかたを工夫する。例えば，ブランドイメージが落ちる懸念に対しては，ブランド拡張をして違うネーミングで販売する。低価格商品の出現によって，中価格帯商品が売れなくなる懸念については，中価格帯商品の機能性やブランドをアピールする。これらの試みによって，消費者の購買動機が促されるであろう。

Karamchandani, et al.（2011）[58]が指摘するように，その地域の人々から事業のボイコットを受けないためには，バリューチェーンの中で生産や販売といった何らかの役割を現地の人々に担ってもらい，雇用を創出するという配慮が必要である。

(5) パートナーシップ

企業がNGOや他の非営利組織とのパートナーシップがスムーズにいかない理由として，事業目的の違いがあげられる。目的意識が多少なりとも違うため意

---

[55] Prahalad & Liberthal（1998），p.79.
[56] Simanis（2010），p.123.
[57] Karamchandani, et al.（2011），p.109.
[58] Ibid., p.109.

思疎通に摩擦が生じる。そのため，Karamchandani, et al. (2011)[59] は，ローカルネットワークの活用を勧める。現地の質の高いサプライヤーをみつけて育成するのは，人件費が安いためコストがかからず現地のパートナーにとっても，雇用機会を得ることができる。ただし，多国籍企業は現地パートナーを現地市場への参入手段と考えがちであるが，現地パートナーは多国籍企業を技術や投資の調達源としてみがちである。そして，多国籍企業は，現地のパートナーの多くが市場知識を持ち合わせていると考えがちであるが，その見立ては違うこともある[60]。

(6) 環境問題

　企業は環境に配慮したパッケージを用いたり，リサイクルを進めるとよい。ユニリーバは，材料等に配慮した環境に優しくリサイクル可能なパッケージを用いている。また環境保全に取り組むことは企業の義務ともいえ，これを果たせない企業は今後ますます国際的，社会的に非難されることになるであろう。

　国連は 1992 年，リオデジャネイロ国連環境開発会議にてリオ環境宣言を採択した。企業は地球の「持続可能な発展」を実現するパートナーとして重要な役割を担うようになり，環境問題，人間，倫理，社会と調和した形で経済成長に貢献することが要求されるようになった。そのため，CSR において先端をいく欧米企業は「持続可能な発展」を企業戦略の重要な項目の一つとしている。地球の「持続可能な発展」に沿った企業の在り方こそが，企業そのものの「持続可能な発展」につながっていくと考えられる[61]。

(7) 事業の有効性

　事業の有効性については，長期的に事業に取り組む中で問題点を改善してよい仕組みを構築することが必要であろう。地域住民をはじめとした関係者の意

59　Karamchandani, et al. (2011), p.110.
60　Prahalad & Liberthal (1998), pp.75-77.
61　岡田 (2005), pp.34-35。

見を傾聴して，取り入れることが重要である。

　地域社会の経済が健全に成長すれば，バリューチェーンを構成するメンバー全員も，ますます利益を高め，繁栄していくであろう[62]。

　以上でBOP市場のリスクを克服するにあたって，企業がとるべき戦略について，(1) 市場規模, (2) 収益性, (3) 投資の回収, (4) 商品選択に与える影響, (5) パートナーシップ，(6) 環境問題，(7) 事業の有効性という7項目から述べてきた。

　市場規模の拡大には，顧客のみたされていないニーズを把握して，新しいビジネスの創造をすること，新しい市場の開拓が求められる。最初に巨大な中間層市場に参入することもよいであろう。中間層向けに開発された製品は低所得者層にも受け入れられる仕様をもち，親戚や家族との共同購入や支払方法の工夫によって，低所得者層にも入手可能となる。商品パッケージの工夫や口コミの活用，地元の小規模ストアの活用によって，消費者の購買機会や購買意欲を増やすことができる。そして，後払いや分割払い等によって支払方法の選択の幅を広げ，価格帯を下げる工夫が期待される。しかし，販売側の未回収金が増加して不良債権が増大することも考えられるため，BOP層の可処分所得が増えていくことも必要であり，そのためには，バリューチェーンの中で生産や販売といった何らかの役割を現地の人々に担ってもらうこともよいであろう。

　新しいビジネスモデルをつくることができる企業が，BOP市場参入に伴う障害を乗り越えることができるだろう。企業の資本効率を改善するうえで，サプライチェーン・マネジメントが重要であり，商品開発には，新規市場に向けて従来とは異なる商品の開発に寛容な企業風土が必要である。現地市場に合わせて開発した商品では，現地の嗜好や習慣を反映する食品などがあり，消費者の意識を変える必要がないため他地域で開発された既存の商品よりも導入が簡単である。また消費者は既存商品よりも低価格でよい品質を求めるか，実は単に安い商品を望んでいる。

　投資の回収には長期間かかるため，BOP市場に取り組むための企業の条件と

---

[62] Rangan, V.K., et al. (2011), p.115.

して，リーダーが長期的志向であることが求められる。現地の人々の商品選択にあたってプラスの効果を生むためには，宣伝広告のしかたを配慮すること，ブランド拡張によって既存の商品に影響を与えないようにすること，上位商品の機能性やブランドもアピールすること，生産や販売といった何らかの役割を現地の人々に担ってもらうことで企業や商品に対して親近感をもってもらうことがあげられる。そして，BOP 市場で事業を実施するうえで NGO や他の非営利組織とパートナーシップを組むことは，現地の状況をよく理解できるようになるという利点はあるものの，お互いの目的意識が違うため意思疎通が上手くいかないことがある。そのため，現地企業やコミュニティに属する現地パートナーとの連携を検討することもよいだろう。

　環境問題については，企業は環境に配慮したパッケージの利用やリサイクルを進めることが求められる。現代社会において，環境保全に取り組むことは企業の義務であり，これを果たせない企業は国際的，社会的に非難される。岡田（2005）は，地球の「持続可能な発展」に沿った企業の在り方こそが，企業そのものの「持続可能な発展」につながっていくという。長期的に事業に取り組む中で，問題点を改善して，仕組みをつくり上げることが必要である。そのためには，関係者へのヒアリングを欠くことができない。

　BOP 層だけに焦点をあてて事業をおこなうだけでなく，バリューチェーン全体のビジネスモデルの再構築や新規市場の創出が不可欠であり，この事業の取り組みによって企業は国際社会における企業間競争に勝ち残っていける。企業は地域コミュニティを中心とした多様なネットワークと連携しながら本業を営む中で，現地コミュニティ全体の生活レベルを上げ，結果的に BOP 層の生活改善がされるのではないだろうか。

　BOP 市場は投資の回収に時間がかかる薄利多売のビジネスである。インフォーマル市場に適応できることが必要なことや，新規ビジネスに寛容であることなどから，伝統を重んじる大企業よりもベンチャー企業のほうが向いているだろ

う。しかし，企業規模の大小にかかわらず，ビジネスモデルの再構築ができない保守的もしくは実力がない企業は，激化する国際的な企業間競争に生き残ることができない。企業は新興国向けの低所得者層をターゲットとする BOP 市場について検討することを契機に，これまでの自社のビジネスモデルについて再考することが求められよう。こうした取り組みが持続可能な BOP 市場ならびに持続可能な企業を導き出すに違いない。

4. フィリピン市場と消費者活動

(1) フィリピン経済の現状と課題

　フィリピンと日本の経済関係は，地理的・歴史的にも結びつきが強い。フィリピンは市場経済のもとで，日本をはじめとした海外資本の導入による輸出振興対策を取ってきたが，先進国の垂直分業に組み込まれた中での工業化であり，経済の自立的活性化につながってはいない。

　政府開発援助（ODA）において，対フィリピンの最大援助供与国は日本である[63]。フィリピンにとって日本がアメリカと並び貿易，投資・経済協力等において存在感が大きいのに対して，日本にとってのフィリピンは貿易・投資面においてさほど重要性をもっていない。しかし，東アジア共同体構想が議論される昨今，ASEAN の一員であるフィリピンは日本の対外通商政策にとって重要性を増している（ARC 国別情勢研究会，2010）。

　フィリピンは 7,000 余りの島から成り立ち，国土面積は 29 万 9,404 平方キロメートルである。ベニグノ・アキノ 3 世前大統領は，インフラ整備，雇用創出，徴税強化と財政再建，教育の充実，ビジネス環境整備と外資導入，農業政策，海外出稼ぎ労働者の保護等を重要政策として掲げた[64]。2016 年 6 月に就任したロドリゴ・ドゥテルテ大統領は，強力なリーダーシップによって，治安政

---

[63]　外務省，「フィリピン基礎データ」，http://www.mofa.go.jp/mofaj/area/philippines/data.html（最終閲覧日：2021 年 1 月 30 日）。

[64]　外務省，「フィリピン基礎データ」，http://www.mofa.go.jp/mofaj/area/philippines/data.html（最終閲覧日：2016 年 6 月 30 日）。

策や投資企業の誘致に力を入れてきた。

　2008 年の主要産業は全就業人口の約 36％が従事している農林水産業であっ
たが [65]，2019 年には主要産業はサービス業であり全就業人口の約 58％が従事
している [66]。2019 年度の GDP 経済成長率は 5.7％である [67]。この成長は，　民
間消費支出が平均で 5.9％を超える伸びを示してきたことにあり [68]，　その伸び
を支えているのは海外労働者からの送金で，　2018 年には前年比 3.1％増の 289
億 4,300 万米ドル，　2019 年には 4.1％増の 301 億 3,300 万米ドルに達して消
費を牽引した [69]。しかし，　フィリピンでは所得格差が大きく，　海外出稼ぎ者や
財閥などの大企業経営者が高収入を得る一方で，2006 年には日収 1.25 米ドル
以下の生活をしている人々が総人口の 22.6％ [70]，　日収 2 米ドル以下の生活をし
ている人々が総人口の 45％ [71] に上った。この貧困率は改善されてはいるものの
2019 年時点で日収 3.2 米ドル [72] 以下の生活をしている人々が依然として総人口
の 20.8％を占める [73]。

---

[65]　外務省，「フィリピン基礎データ」，http://www.mofa.go.jp/mofaj/area/philippines/data.html（最
　　　終閲覧日：2016 年 6 月 30 日）。
[66]　外務省，「最近のフィリピン情勢と日・フィリピン関係」，https://www.mofa.go.jp/mofaj/area/
　　　philippines/kankei.html（最終閲覧日：2021 年 1 月 30 日）。
[67]　外務省，「フィリピン基礎データ」，http://www.mofa.go.jp/mofaj/area/philippines/data.html（最
　　　終閲覧日：2021 年 1 月 30 日）。
[68]　日本貿易振興機構（ジェトロ），「フィリピン」，https://www.jetro.go.jp/ext_images/world/
　　　gtir/2020/10.pdf，p.1（最終閲覧日：2021 年 1 月 30 日）。
[69]　日本貿易振興機構（ジェトロ），「2019 年の在外フィリピン人の送金額，過去最高の 301 億ドル」，
　　　https://www.jetro.go.jp/biznews/2020/03/077518cefc6527a9.html（最終閲覧日：2021 年 1 月 30 日）。
[70]　The World Bank, "Poverty headcount ratio at $1.25 a day (PPP)（% of population "，http://
　　　data.worldbank.org/indicator/SI.POV.GAPS（2006 年データ）（最終閲覧日：2015 年 10 月 8 日）。
[71]　The World Bank, "Poverty headcount ratio at $2 a day (PPP)（% of population)"，http://data.
　　　worldbank.org/indicator/SI.POV.2DAY（2006 年データ）（最終閲覧日：2015 年 10 月 8 日）。
[72]　世界銀行は 2015 年世界貧困ラインを 1.90 米ドルへ改定。2018 年低高中所得国を考慮し，補完す
　　　る形で 1 日 3.20 米ドルと 5.5 米ドルを新たに貧困ラインに設定した。
　　　The World Bank, "Piecing together the poverty puzzle"，https://openknowledge.worldbank.
　　　org/bitstream/handle/10986/30418/9781464813306.pdf，pp.67-69（最終閲覧日：2021 年 1 月 30
　　　日）。
[73]　The World Bank, "Philippines Economic Update October 2019"，https://www.worldbank.org/
　　　en/country/philippines/publication/philippines-economic-update-october-2019-edition（最終閲覧
　　　日：2021 年 1 月 30 日）。

(2) フィリピン BOP 層の生活

　筆者は 2010 年夏に 1 か月間，フィリピン・ルソン島にある農漁村部のカビテ，首都マニラのスラムであるトンド地区，火山被災地のピナツボ地域，農漁村のアラバット島に滞在した。下記のことは，視察や住民へのインタビューで得た情報に基づいている。

　フィリピンの BOP 層は主に農漁村や都市スラムで生活を営んでいる。農漁村は，火山の噴火や台風といった自然災害や海の汚染，外国船の魚類乱獲によって農業・漁業が十分におこなえなくなったことが貧困理由にある。中間層 (MOP) と貧困層 (BOP) の住宅が混在しており，MOP 層[74] 以上の家庭ではテレビや扇風機が多く見受けられるものの，BOP 層の生活ではほとんど電気製品が普及していない。料理にはプロパンガスが使われ，シャワーは水で，トイレや浴室がない家も見受けられる。乗用車やタクシーはみかけないが，トラックや工事用車両，ルソン島内では市内行きバスや遠距離バスをみることがある。日常の移動手段として自動二輪車や，オートバイとサイドカーからなるトライシクル (三輪車) をタクシー代わりに利用する。首都マニラに仕事を求めて移動し，工事現場の日雇い労働，家事労働の他，サービス業に就く者もいる。

　職業には漁師 (イカ釣り等)，洗濯屋，大工，電気工，農家 (ココナッツ，米，野菜，果物，コーヒー等)，商人 (サリサリストア，インターネットカフェ等)，トラック運転手 (セメント運搬等)，トライシクル運転手，畜産業 (豚，鶏，牛) 等がある。農漁村の職業分類としては，農業，林業，水産業等の第 1 次産業，運輸，商業等の第 3 次産業に就く者がほとんどである。

　イカ釣り漁師の場合，1 日の収入は 70 ペソ～150 ペソ (約 140 円～300 円)，ココナッツ農家の場合，1 日 1,000 個の実を落として 250 ペソ (約 500 円) 程度であるが，収穫がなく無収入の日もある。セメント運搬のトラック運転手の場合，仕事があれば 3 日間で 300 ペソ (約 600 円) 程度の収入がある。畜産業の場合は，月収 2,500 ペソ～4,000 ペソ (約 5,000～8,000 円)，トライシクル運転手の場合，1 日の客数によるが，運賃は近距離で 1 回につき 30 ペソ (60 円)

---

[74] 　the middle of the Economic Pyramid: 経済ピラミッドの中間層。

程であり，1日の売上の半分はトライシクルオーナーに支払われる。

　一方，都市スラムは，仕事を求めて農漁村から移動した者で成り立っている。同郷出身者から廃品回収や工事現場日雇いといった仕事の情報を得て就業する。数年後，トライシクル運転手や工場労働者等の比較的安定した職を得てからスラムをでるが，農漁村から20才前後の人々を中心に都市部に絶え間なく人が集まるため，都市スラムは常時，人で溢れている。農漁村の状態を改善しない限り，都市スラムはなくならない。スラムを出た者でも小学校を卒業していない者は事務労働に従事するホワイトカラーの職業に従事することはできない。トライシクル運転手や，バスの運転手，サリサリストアは，BOP層にとって憧れの職業である。

　家は廃材などを用いて建てられたバラックである。電気製品をもたない家庭が多いが，ごみ集積所でみつけたラジオを修理して使う者もいる。一部屋しかない家庭が多くトイレや浴室もない。日常の移動手段として自転車や自動二輪車，スラム地区外の移動にはトライシクルを利用する。職業はスカベンジャー[75]，サリサリストア，露天商，水売り，トライシクル運転手等である。スカベンジャーは1日廃品回収をして多いときで250ペソ（約500円），少ないときは50ペソ（約100円）程度の収入である。都市スラムの職業分類としては，運輸，商業等の第3次産業から成り立っている。

　写真1-1，1-2は代表的都市スラムであるトンドの生活を示している。衛生上

写真1-1　都市スラム・トンドの状況　　**写真1-2　都市スラム・トンドで**
　　　　　　　　　　　　　　　　　　　　　　　　　　　　　出会った兄妹

筆者撮影　　　　　　　　　　　　　　　　　筆者撮影

---

[75]　ごみ拾いで生計をたてている人。スカベンジャーは，リサイクル資源となるもの，例えば，プラスチックボトルや銅線，金銀商品を集めてジャンクショップに売りに行く。

の問題も多く，病気になっても医者にかかる費用もない。後述するように，サリサリストアはこのような都市スラムにも存在する。

＜貧困地域に共通する特徴＞

　貧困地域は点在する農漁村と人口が密集する都市スラムにみられ，インフラ（鉄道，道路，通信，上下水道，電気）が未整備である。両地域とも，飢餓状態にはないが，幼児は栄養不良の傾向がある。地域に医療施設がなく（あっても支払うお金がない），医療衛生面で不自由することも多い。

　地主や船のオーナー，雇い主から，搾取されることが多く，借金のために雇用主から離れて転職できない悪循環にある。小学校は義務教育で制服も支給されるが，ごみ拾いや農家の手伝いなどは子供でも十分な働き手となるため，労働に従事し，卒業できない子供も多い。また小学校が遠いためトライシクルなどの通学費用が出せず，小学校に通学できないケースもある。

　農漁村部のインターネットカフェは大盛況である。都市スラムでは子供が廃品回収で得た小遣いを数人で出し合ってインターネットカフェに行く。交流サイト Facebook を活用したスモール・ビジネスや，仕事探し，海外出稼ぎ情報を得ている。携帯電話は BOP 層の中でも比較的余裕がある家（電気が通っている，定収入がある，家族数が少ない，子供を小学校に通学させられる）が所持している。携帯電話の使用料金はフィリピンでは，前払いシステムが多い。中古品などを購入して仕事の斡旋情報を得ている。BOP 層の暮らしは最低限のインフラがない一方で，インターネットや携帯電話といった新しい技術が共存する。これらの情報技術を用いることによって，奨学金を獲得して大学まで進学した BOP 層出身の学生は，公用語の英語力を生かした英会話講師やコールセンターの職を得て BOP 階層脱却への足がかりとしている。

(3) BOP 層の消費活動

　Philippine Statistics Authority のデータに基づいてフィリピンで半数近くを占める BOP 層の消費活動について考察していこう。図表 1-2 の家計支出内訳をみると，2019 年には飲食料品が家計支出全体の 42.0％を占めている。この割

図表 1-2　家計支出内訳（全国）〔単位：%〕

支出内訳	1999 年	2004 年	2009 年	2014 年	2019 年
飲食料品	43.2	40.5	42.4	42.1	42.0
アルコール飲料・タバコ	1.8	1.5	1.4	1.4	1.4
衣類・靴	2.3	1.9	1.5	1.4	1.0
住居・水道光熱費	12.2	11.8	11.9	12.6	12.1
家庭用品のメンテナンス	6.0	5.6	4.3	3.8	3.5
医療費関連	2.0	2.3	2.4	2.7	2.9
交通費	8.5	10.2	11.1	10.9	11.0
通信費	2.2	3.8	3.6	3.0	2.6
娯楽費	2.2	2.0	1.9	1.8	1.7
教育費	3.2	3.8	4.0	4.0	4.3
レストラン・ホテル	3.9	3.7	3.7	3.8	4.2
その他	12.5	12.8	11.9	12.4	13.1
合計	100.0	100.0	100.0	100.0	100.0

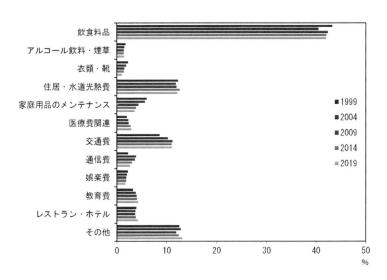

出所：Philippine Statistics Authority Philippine Statistics Authority, "National Accounts of the Philiippines", https://www.psa.gov.ph/sites/default/files/2HFCE_93SNA_qtrly.xlsx（最終閲覧日：2021 年 1 月 30 日）。

備考：名目値

合は 10 年前の 2009 年の 43.2％からほぼ変化していない。ほかに 2019 年の家計支出はアルコール飲料・タバコが 1.4％，衣料・靴が 1.0％，住居・水道光熱費が 12.1％，医療費関連が 2.9％，交通費が 11.0％，通信費が 2.6％，娯楽費が 1.7％，教育費が 4.3％となっている。過去のデータと比較すると交通費の増加がみられる。しかし，食料品が家計費の 4 割以上を占めておりエンゲル係数が高く，他の支出割合はさほど増えていないことから，製品やサービスを購入する余地はまだ十分ではないことをデータから読み取ることができる。フィリピンでは貧困地域や農漁村が点在していることや十分な現金収入がないことから，企業が貧困層をターゲットとして利益を上げるためには，工夫が必要であると考えられる。

第2章　フィリピンにおける小売業の現状と変遷

はじめに

　フィリピンでは近年にみられるめざましい経済成長の中で，近代的小売業と小売業の多数を占める伝統的小売業の増加をみることができる。本章ではフィリピン小売業の基本的な構造ならびに実態や動向を明らかにしていく。

　そのうち，第1節では「小売業の構造と推移」について考察している。第2節では「小売業の近代化と業態構造」について，近年増加している近代的小売業態別の現状と動向から述べている。第3節では「小売業のグローバリゼーション」について，外資規制と企業提携による市場参入を中心に考察する。

1. 小売業の構造と推移

(1) 小売業の構造

　2019年のフィリピンにおける小売業の市場規模は3兆1,550億ペソ（約6兆3,100億円）である。図表2-1のように，2009年から10年間で小売売上高は年平均6.7％増加している。

　フィリピンの小売構造は近代的小売業と伝統的小売業から構成されている。近代的小売業には，百貨店，ハイパーマーケット（大規模スーパーマーケット），スーパーマーケット，コンビニエンス・ストア等がみられる。伝統的小売業には，零細小売店，路面店等があり，零細小売店の多くは家族経営のサリサリストアと呼ばれる少量・小パック単位で販売する少量取り扱い雑貨店，専門店等がある。イギリスの調査機関ユーロモニターによると，2015年の小売店舗数

は約93万店舗であり，そのうち約81万店舗がサリサリストアであるという。

　小売業の特徴としては，空間的・地域的範囲が極めて狭い商圏に制約されている点にある。フィリピンの都市部では渋滞がひどいこともあり，多くの人々は近隣で買い物を済ませている。自宅から離れたショッピングモールには家族や友人と出かけ，ウィンドウショッピングや食事，映画を楽しみ，娯楽的要素が大きい。また農漁村部や山岳地帯では交通の便が少なく移動しづらい。そのため，フィリピンのどの地域にもみられる公設市場や零細小売店サリサリストアは，日用雑貨や食料品を得るうえでフィリピンの人々にとって欠くことができない存在であり，彼らの多くにとって冷蔵庫的役割を果たしている。

　図表2-1で小売業の業態別販売構成比をみていきたい。2019年の店舗型小売は91.9%であり，フィリピンにおける販売構成比のほとんどを占めている。非店舗型小売は8.1%である。そのうちeコマースの販売構成比は全体の5.6%であるものの2009年からの10年間で42.6%の成長がみられ，小売売上高全体の中でも一番の成長率である。各家庭のパソコン所持率は低いが携帯電話が通信販売において，よく利用されている。

　2019年の小売売上高のうち，食品雑貨小売の近代的小売業の販売額構成比は24.8%，伝統的小売業は7.8%である。近代的小売業の販売額は増えてはいるもののフィリピンにおける伝統的小売業の存在感は強い。また伝統的小売業であるサリサリストアの店主は，近代的小売業から自営店舗で販売する商品を仕入れる者も多く，スーパーマーケット等の近代的小売業の顧客でもある。そのため，近代的小売業の成長には，伝統的小売業の囲い込みは欠くことができないものといえる。都市部で近代的小売業は成長し続けるが，その一方で下層・中層の人々の支持が強い伝統的小売業はフィリピン各地で今後も存続していくであろう。

　2019年現在，近代的小売業のうちスーパーマーケットの販売額構成比が最も高く，小売売上高全体の16.8%を占めており，ハイパーマーケットは5.4%，コンビニエンス・ストアが2.3%である。2009年からの10年間で市場規模の年平均成長率はそれぞれ7.6%，12.1%，18.1%伸びており，都市部や都市近

図表 2-1　業態別販売構成比（2019 年）

分類	金額（10 億ペソ）			販売額構成比（%）		
	2009 年	2019 年	年平均成長率 (%)	2009 年	2019 年	差分
小売売上高	1652	3155	6.7	100.0	100.0	0.0
店舗型小売	1609	2900	6.1	97.4	91.9	-5.5
食品雑貨小売	507	1029	7.3	30.7	32.6	1.9
近代小売（モダーントレード）	325	782	9.2	19.7	24.8	5.1
スーパーマーケット	255	529	7.6	15.4	16.8	1.4
ハイパーマーケット	55	172	12.1	3.3	5.4	2.1
コンビニエンス・ストア	14	74	18.1	0.8	2.3	1.5
その他	1	7	18.7	0.1	0.2	0.1
伝統小売（トラディショナルトレード）	182	248	3.1	11.0	7.8	-3.2
非食品小売	953	1556	5.0	57.7	49.3	-8.4
アパレル専門店	105	186	5.8	6.4	5.9	-0.5
電化製品専門店	203	321	4.7	12.3	10.2	-2.1
健康および美容関連製品専門店	172	288	5.3	10.4	9.1	-1.3
日用品，園芸専門店	231	409	5.9	14.0	13.0	-1.0
レジャー，パーソナル用品専門店	79	127	4.9	4.8	4.0	-0.8
その他の非食品小売店	163	225	3.3	9.9	7.1	-2.7
百貨店等	148	314	7.8	9.0	10.0	1.0
非店舗型小売	44	255	19.3	2.6	8.1	5.5
訪問販売	38	76	7.2	2.3	2.4	0.1
e コマース (m, クロスボーダーEC含む[76])	5	178	42.6	0.3	5.6	5.3
その他	0	1	12.5	0.0	0.0	0.0

出所：Euromonitor より作成。
備考：名目値，税抜き。

郊での成長が顕著である。しかし，山岳地帯や農漁村部で近代的小売業をみることはほとんどない。

　伝統的小売業は主要な食品雑貨小売の場である。そして，伝統的小売業は過去 10 年間をみると年々，売上金額は増えてはいるものの，それ以上に近代的小売業を含めた小売売上高が増えているため販売額構成比は 3.2% 低下している。

　図表 2-2 は 2000 年以降の食品日用雑貨取扱店，タイプ別売上高推移（名目

---

[76]　m コマース (Mobile E-Commerce)・クロスボーダー EC (Cross-border E-Commerce) とは e コマースの一形態で，前者は特に携帯電話を利用した，後者は国際的な電子商取引をいう。

図表 2-2　食品日用雑貨取扱店 タイプ別売上高推移

（単位 :10 億米ドル）

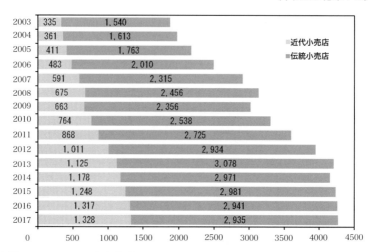

出所：Euromonitor より作成。

備考：名目値

値）である。伝統的小売業，近代的小売業ともに売上高が増加していることが
わかる。この 10 年の物価上昇率を考慮に入れても，フィリピンの小売業が成
長を続けていることは，このグラフから読み取ることができる。近年の特徴と
して，地場系のピュアゴールドプライスクラブが，急成長を遂げている近代的
小売業の一つであり，2013 年度の売上は 732 億ペソ，純利益 40 億ペソであっ
た。開店初期は低価格販売をおこない，零細小売事業者の顧客をつかんで卸売
的役割を果たして成長した。最近では一般顧客獲得にも力を入れるスーパー
マーケットを目指している[77]。近代的小売業の成長にも，サリサリストアをは
じめとした零細の伝統的小売業の取り込みは欠かせないといえる。

　小売市場では食料品・日用雑貨販売が約 55％，その他（医薬品，家電，書籍
など）が約 45％となっている。サリサリストアなどの零細小売事業者は食料品・

---

[77]　Puregold, http://www.puregold.com.ph（最終閲覧日：2016 年 6 月 30 日）。

日用雑貨を取り扱う割合が高く，市場の約 7 割を占めている[78]。サリサリストアは自宅近所のネイバーフッドストアであり，店によってはツケがきく。

　サリサリストアは継続的に新規開店しており，近代的小売業は地方都市にも展開されてはいるものの，顧客の階層によって棲み分けがされている。

　小売業（卸を含む）の従業員 20 人以上規模での営業は 2014 年で 8,597 社，雇用者数は約 46.1 万人（うち 1,625 人が無報酬），総収入は約 2 兆 4,769 億ペソである。従業員が 20 人未満の規模（卸を含む）の営業は 2012 年で約 8 万 6,100 社，総収入は 1 兆 2,268 億ペソ，雇用者数は 51.3 万人（うち 2.6 万人が無報酬）である[79]。

　組織化された近代的小売業の特徴は，マニラ首都圏を中心に多くのショッピングモールが開発されていることで，地場財閥企業 SM シューマート（シー財閥）とロビンソン（ゴコンウェイ財閥）がモール開発の 2 大企業であり，2019 年現在，SM シューマートが約 70 か所[80]，ロビンソンは約 50 か所のショッピングモールを展開している[81]。

　フィリピンではレジャーの選択肢が少ないことや，モールで涼むため日曜日の午後を中心に来客は多い。モールによって客層は異なり，SM（シューマート）グループが一番大衆的で，敷地面積が広く，娯楽施設が充実して人気がある。他にドラッグストアのマーキュリー・ドラッグの躍進が目ざましい。

(2) 現地の小売業における競争関係

　小売市場の 3 割を占める近代的小売業には，主に地場の財閥系企業が参入している。外国資本の大手総合小売企業による参入はなく，あるとすればコンビニエンス・ストアや専門店など限定的である。小売セクター自体は成長が見込まれるものの，店舗数の増加に伴い，特に都市部において小売市場の競争環境

---

[78]　ARC 国別情勢研究会（2018），pp.118-119。
[79]　同上，p.118。
[80]　SM Mall, https://www.smsupermalls.com/whats-new/sm-prime-recognized-again-in-the-top-ten-successful-asean-enterprises-entering-china/（最終閲覧日：2021 年 1 月 30 日）。
[81]　Robinsons Malls, https://www.robinsonsmalls.com/list-of-malls（最終閲覧日：2021 年 1 月 30 日）。

は激しくなっている[82]。

　小売企業の売上高上位 10 社の中に外資系企業は入っていない。外資系企業の参入が限られているのは，外国企業に対する規制のためというよりは，むしろ，地場財閥の力が圧倒的に強いこと，市場の難しさ（所得の二極化の広がり，低い購買力）の二点にあると考えられる[83]。

　フィリピンでは，SM（シューマート）グループなどの財閥系企業が 1 社で多数の業態の小売店をもっている上，不動産事業や金融業なども展開している。財閥系企業は，事業に有利な好立地，高い知名度・信用力によるサプライヤーからの商品仕入力，様々な業態の運営ノウハウ，グループ内での資金調達，政治への強い影響力をもっている。小売事業に参入し成功を収めるには，財閥系企業と手を組むことが最良の選択肢の一つとなろう[84]。

　シンガポールやタイ，カンボジア等のアジアの他国と同様，ガソリンスタンドは重要な小売拠点である。フィリピンのガソリンスタンドではコンビニエンス・ストア機能を備えており，ペトロンのスタンドは全国に 2,000 店舗存在する[85]。

(3) 現地消費者の動向と特性

　消費市場では，「小分け」「少量・小パック」の販売方法が特徴的である。これはスーパーマーケットなどの近代的小売業や伝統的小売業にもみられ，シャンプーや洗剤等の日用品・食品など，1 回分に小分けされた商品が店舗に陳列され，吊り下げられて量り売りされている。零細小売店のサリサリストアではスーパーマーケットなどの 10％増し程度の価格で小分けされた商品が販売されている。これは，店主がスーパーマーケットや市場からインスタントコーヒーなどのパック商品を仕入れ，それをバラして販売しているからである。フィリピンでは多くの消費者の収入が少ないこと，貯蓄する習慣がないことから，確実に購入できる分量の商品が好まれている。

82　大和総研 (2015), p.51。
83　同上。
84　同上。
85　桂木 (2015), p.101。

　国連の人口中位推計によると，2028 年にフィリピンの人口は 1 億 2,300 万人に増えて日本を抜き，2045 年ごろまで人口ボーナス[86] が続く見通しとなっている。人口ピラミッドをみても若い年代ほど人口が多いピラミッド型になっており，労働人口は長期間増加し続けることが見込まれている[87]。またユーロモニターは，フィリピンの富裕層（世帯可処分所得が年間 3 万 5,000 米ドル超）は，2009 年の 138 万人から 2020 年には 415 万人に，アッパーミドル層（同，1 万 5,000 米ドル〜3 万 5,000 米ドル）は，同期間に 534 万人から 1,649 万人に増大すると指摘している[88]。

　国の発展を促す産業育成が目下の最大の課題であるが，現状では国外からの送金がフィリピンの大黒柱である。国内では男性が単純労働に就き，女性が管理職に就くケースが多いのも特徴である[89]。2015 年の国勢調査では，学士号の取得者は，男性（44.0％）よりも女性（56.0％）のほうが多く，同様に，大学院の修士課程以上の履修者の中では，女性（59.9％）が男性（40.1％）を上回っている[90]。

　フィリピン人の海外労働者（OFW:Overseas filipino Worker）の存在は無視することができない。家政婦や看護師，医師，技術者，英語教師など欧米，中東，アジアなどで働く海外労働者からの送金額は大きく，国をあげて国外に労働者を送っている。

　フィリピン中央銀行の発表によると，海外労働者からのフィリピンへの送金額は 2013 年には 227 億米ドルに達し，過去最高額を更新した。ただし，これは銀行経由ベースでの送金額で，一時帰国時の現金持ち込みや地下銀行の送金などにより，実際にはこれよりかなり多くの送金があるといわれている[91]。

---

[86]　総人口に占める労働に従事できる年齢の割合が上昇し，経済成長が促進されること。
[87]　吉崎（2014），p.4。
[88]　大石・久保田（2014），p.22。
[89]　川津（2012），p.66。
[90]　Philippine Statistics Authority, "Philippine Population Surpassed the 100 Million Mark (Results from the 2015 Census of Population)", https://psa.gov.ph/population-and-housing/title/Philippine%20Population%20Surpassed%20the%20100%20Million%20Mark%20%28Results%20from%20the%202015%20Census%20of%20Population%29（最終閲覧日：2021 年 1 月 30 日）。
[91]　吉崎（2014），p.4。

豊富な人口と労働人口を有しているフィリピンであるが，それだけの人口を賄うだけの十分な雇用機会と産業がフィリピンにあるとは言い難い。フィリピン人の海外労働者が多いのもそういった事情の裏返しともいえる[92]。フィリピンの GDP の 70％強は，民間消費によるものであり，この旺盛な消費需要を支える大きな要因である[93]。

　フィリピンの中でもマニラ首都圏は 1,000 万人以上の人口を抱え，1 人当たりの平均所得も全国平均の約 2 倍であり，消費総額は全国の 2 割強を占めている[94]。そして，アメリカの消費文化を受け継ぎ，消費力が旺盛であり，貯蓄をするよりも消費を好む傾向にある。

　お金の使い方は家族や友人のためにという価値観が強い[95]。地域の祭りであるフィエスタや自分の誕生会は借金をしてでも盛大におこなう。アジア最大のキリスト教国であり[96]，クリスマスには家族，親戚，同僚，友人等にプレゼントを贈る。また海外に出稼ぎをしている家族をもつ者も多く，インターネットや Facebook などを通じて海外の情報を入手し流行に敏感であり，商品活動も活発である。

2. 小売業の近代化と業態構造

(1) 近代的小売企業

　小売企業の 2019 年売上首位は華僑系シーグループの SM リテールである。売上高は 303.5 億ペソ（約 607 億円）で，小売売上高全体の 9.8％を占めている。2位はゴコンウェイ財閥系のロビンソンズ・リテールで，売上高は 159.4 億ペソ（約318.8 億円）。3 位はドラッグストア事業を全国展開している地場系マーキュリー・ドラッグで，売上高は 153.8 億ペソ（約 307.6 億円）。2011 年から 8 年間の年平

---

[92]　吉崎（2014），p.6。
[93]　同上，p.4。
[94]　大和総研（2015）。
[95]　川津（2012），p.66。
[96]　カトリック系である。

図表 2-3　フィリピンの主要小売グループ（2020 年時点）

	財閥	業種
スペイン系	アヤラ財閥 （Ayala グループ）	銀行，小売，通信，不動産， 保健，エネルギー，上下水道， 自動車，物流・インフラ，教育
中華系	ゴコンウェイ財閥 （ゴコンウェイグループ）	航空，小売，食品，石油化学， 通信，不動産，銀行
	シー財閥 （SM（シューマート）グループ）	銀行，小売，不動産，娯楽，鉱 業
	タントコ財閥 （ルスタン・グループ）	小売，娯楽

注：他に小売以外のフィリピン財閥として，コファンコ財閥，ユーチェンコ財
　　閥，ルシオ・タン財閥，ソリアノ財閥，アラネタ財閥等がある。

出所：
Ayala,"2019 Integrated Report", https://www.ayala.com.ph/sites/default/files/
　　pdfs/Ayala%20Corporation%202019%20Integrated%20Report%20-%20ASD.
　　pdf, p.6（最終閲覧日：2021 年 1 月 30 日）。
JG Summit Holdings,"Company Profile", https://www.jgsummit.com.ph/our-
　　company/company-profile?ref=nav_corporate_company_profile（最終閲覧日：
　　2021 年 1 月 30 日）。
Rustan's,"About Us", https://rustans.com/pages/about-us（最終閲覧日：2021 年 1 月 30 日）。
SM Investments Corporation,"Our Company", https://www.sminvestments.
　　com/about-us/at-a-glance/（最終閲覧日：2021 年 1 月 30 日）。

均成長率は，それぞれ 9%，14%，9%である[97]。

　フィリピンでは地場の財閥系企業の存在感が強く，各財閥系企業は様々な業
態の小売店をもつ。図表 2-3 のように不動産や金融，食品など多くの業種を展
開しているため，事業に好ましい立地を確保し，グループ内での資金調達や商
品仕入れ，政治への影響力などがあり，事業を有利に進めている。S&R（コス
トコ）などの外資系列ハイパーマーケットも外国人や富裕層が多く住む地域に
あるが，外資系スーパーマーケットは少数派である。

　フィリピンの主要小売グループは，スペインや中国から渡来した祖先をもつ
財閥が有力である。1898 年の米西戦争まで 300 年以上にわたってフィリピン

---

[97]　Euromonitor。

図表 2-4　ハイパースーパーマーケット（2019 年）

	社名	売上高	店舗数
1 位	ピュアゴールド	944 億ペソ	220
2 位	SM ハイパーマーケット	389 億ペソ	54
3 位	スーパー 8 グロサリーウエアハウス	131 億ペソ	74

出所：Euromonitor より作成。
備考：名目値，税抜き。

はスペインに植民地化されていたことから，フィリピンの支配者層，富裕層にはスペインを由来とする人々が多く輩出されてきた。また古くから多くの中国人がフィリピンにビジネスのために渡来しており，華僑系の人々のビジネスにおける活躍がめざましい。スペイン由来の財閥にはアヤラ財閥，中国由来の財閥にゴコンウェイ財閥，シー財閥，タントコ財閥がある。

(2) 近代的小売業態

　フィリピンの主要な近代的小売業態についてみていきたい。主なショッピングモールには, SM モール (SM Mall)，ウォルターマート (Walter Mart)，アヤラモール（Ayala Malls)，メトロ，ロビンソンズモール (Robinsons Malls) 等がある。

　2019 年 1 月現在で SM モールは 70 か所あり，中国でも 9 店舗のショッピングモールを展開している[98]。ウォルターマートは 34 か所[99]，アヤラモールは 30 か所[100]，ロビンソンズモールは 51 か所で展開している[101]。

　図表 2-4 のようにハイパーマーケットとしてあげられるのは 3 社で，2019 年時の首位はピュアゴールドプライスクラブが運営するピュアゴールドである。220 店舗をもち売上高は 944 億ペソ（約 1,888 億円），2 位は SM リテール[102] が運営する SM ハイパーマーケットで 54 店舗をもち，売上は 389 億ペ

[98]　SM Mall, https://www.smsupermalls.com/whats-new/sm-prime-recognized-again-in-the-top-ten-successful-asean-enterprises-entering-china/（最終閲覧日：2021 年 1 月 30 日）。
[99]　Walter Mart, "Malls", https://waltermart.com.ph/waltermart_malls（最終閲覧日：2021 年 1 月 30 日）。
[100]　Ayala Malls, https://www.ayalamalls.com/（最終閲覧日：2021 年 1 月 30 日）。
[101]　Robinsons Malls, https://www.robinsonsmalls.com/list-of-malls（最終閲覧日：2021 年 1 月 30 日）。
[102]　SM Investmetns Corporation, "SM Retail", https://www.sminvestments.com/about-us/our-investments/retail/（最終閲覧日：2021 年 1 月 30 日）。

図表 2-5　スーパーマーケット（2019 年）

	社名	売上高	店舗数
1 位	ロビンソンスーパーマーケット	607 億ペソ	148
2 位	SM スーパーマーケット	595 億ペソ	59
3 位	セーブモアスーパーマーケット	534 億ペソ	203

出所：Euromonitor より作成。
備考：名目値，税抜き。

図表 2-6　コンビニエンス・ストア（2019 年）

	社名	売上高	店舗数
1 位	セブン - イレブン	463 億ペソ	2,786
2 位	アルファマート	126 億ペソ	726
3 位	ミニストップ	98 億ペソ	527

出所：Euromonitor より作成。
備考：名目値，税抜き。

ソ（約 778 億円）である。3 位はスーパー 8・リテール・システムズが運営するスーパー 8 グロサリーウエアハウスであり，74 店舗をもち 131 億ペソ（約 262 億円）の売上を計上している。

　スーパーマーケットについていえば，図表 2-5 のように 2019 年にはロビンソンスーパーマーケットは 148 店舗をもち，売上は 607 億ペソ（約 1,214 億円）で首位であった。SM スーパーマーケットは 59 店舗をもち，595 億ペソ（約 1,190 億円）の売上 2 位，セーブモアスーパーマーケットは 203 店舗をもち，534 億ペソ（約 1,068 億円）の売上 3 位であった。

　コンビニエンス・ストアはセブン - イレブンとミニストップがコンビニエンス・ストア市場（740 億ペソ）のシェア約 80％を占めている。図表 2-6 のように売上首位はセブン - イレブンである。2019 年の売上高は 463 億ペソ（約 926 億円）で，コンビニエンス・ストアの売上シェアの 62.6％を占めており小売売上高全体でも 8 位である。

　首位のセブン - イレブンは，台湾を拠点とするプレジデント・チェーンストアが 52.216％（2020 年 6 月末現在）を保有するフィリピン・セブンによって運営

され，フィリピン証券取引所に上場している[103]。2019 年時の店舗数は 2,786 店舗でフィリピンのコンビニエンス・ストアの中で最も多い。売上 2 位は SM リテールが提携するインドネシアの不動産・小売業のアルファマート[104]である。2014年にフィリピンに進出以来，ルソン島で顕著な成長がみられる。2018 年まではミニストップと同程度の売上であったが，2019 年のデータではミニストップをこえ，売上高は 126 億ペソ（約 252 億円）（同 17.0％）である。中食スペースはないものの生鮮食品や冷凍食品も揃えており，住宅街の小規模なスーパーマーケット的存在である。SM リテールのプライベート・ブランド「AM Bonus」を取り扱っている。3 位はミニストップで，2019 年の売上高は 98 億ペソ（約 196億円）（同 13.2％）と例年通りである。ミニストップ（ロビンソンズ・コンビニエンス・ストアーズ）は，2000 年に日系企業としてはじめて進出した。地場のパートナー企業は，ロビンソンズ・リテールで，商品は現地仕入品が大部分を占めている。2013 年にはファミリーマートが SIAL CVS リテイラーズ（60％：スペイン系財閥 Ayala グループとルスタン・グループとの合弁企業）と，ファミリーマート（37％），伊藤忠商事（3％）の合弁で参入した[105]。

　コンビニエンス・ストアは都市部で出店が増加している。都市部では欧米向けコールセンターが増えており，スタッフはフィリピンの中でも比較的よい給料を得ているため 24 時間営業のコンビニエンス・ストアで夜間の休憩時間や就業前後に店内で食事をとっている。また格安な中食を用意しており学校帰りの学生が気楽に飲食することもできる。近年，成長の目覚ましいアルファマートについては，住宅地における成長が興味深い。

[103] フィリピンプライマー，「比セブン 6 月末 2,930 店で断トツも 4 億ペソの赤字に」，https://primer. ph/economy/top_news/psc-in-the-philippinse-disclose-the-latest-information/（最終閲覧日 2021 年 1 月 30 日）。

[104] Alfamart, https://www.alfamart.com.ph/（最終閲覧日：2021 年 1 月 30 日）。

[105] 大和総研（2015），p.54。

3. 小売業のグローバリゼーション

(1) 外資規制

　フィリピン小売業への投資はフィリピン人だけに限定されてきたが，1993 年になって外国企業の投資が認可された。外資参入の禁止は，フィリピン人の雇用，特に零細小売店を営む多くの人々の雇用を維持しフィリピンの地場財閥企業[106]の成長にもつながったが，フィリピンの小売近代化が遅れた要因でもあった。

　コラソン・アキノ政権（1986 ～ 1992 年）下の 1987 年にオムニバス投資法が制定され，優遇措置によって外資参入が促進された。1991 年には外国投資法（Foreign Investment Act of 1991，1996 年改正）が制定され，フィリピン国内への外国資本 100％の投資が認められるようになった[107]。2000 年には小売自由化法（The Retail Trade Liberalization Act of 2000）が発令され，フィリピンでの小売業の規制が大きく緩和された。そして，図表 2-7 のように払込資本金額が 250 万米ドルを超える小売業は，原則として外資参入が可能となった[108]。

　この小売自由化法の前後から，外資ブランドショップや外資飲食店が参入し，これら外資系小売店が入るショッピングモールがマニラ首都圏にて営業されるようになった。フィリピンでは国内の中小企業保護のため，外国資本の中小規模の小売企業の参入を規制している。小売業への参入にあたって外資系企業への投資優遇の措置はない。なお，フィリピンの貿易産業省の下部組織である中小企業開発委員会（SMEDC）によると，中小企業の定義は，年間売上高 1 億ペソまでの事業所である[109]。

---

[106] 同族（血縁関係にある複数家族）による多角的企業集団。
[107] 大和総研（2015），p.59。
[108] ARC 国別情勢研究会（2016），p.129。
[109] 出所：JICA ナレッジサイト，http://gwweb.jica.go.jp/km/FSubject1101.nsf/
b8a2d403517ae4549256f2d002e1dcc/3c957bb16c4aee9b49256d55002d5880/$FILE/
%E3%83%97%E3%83%AD%E3%83%95%E3%82%A1%E3%82%A4%E3%83%AB03.pdf
原出所：National Statistics Office，http://www.sme.hp
（最終閲覧日：2017 年 12 月 6 日）。

図表 2-7　小売業に関わる外資規制（2017 年）

資本金規制	(1) 外資の場合，払込資本金は 250 万米ドル以上で 1 店舗当たりの投資額は 83 万米ドル以上。 (2) 高級品もしくは贅沢品に特化した企業で，1 店舗当たりの払込資本金は 25 万米ドル以上。
外国資本要件 100％の外国資本の参入要件 （a〜d をすべてみたす）	a. 親会社の純資産が 2 億米ドル以上（上記(1)に該当する企業），5 千万米ドル以上（上記(2)に該当する企業）。 b. 世界で 5 件以上の小売店舗もしくはフランチャイズを展開し，少なくともその 1 店の資本金は 2,500 万米ドル以上。 c. 小売業で 5 年以上の実績を有する。 d. フィリピンの小売企業の参入を認めている国の国民もしくは同国で設立された法人。

出所：日本貿易振興機構（ジェトロ）「フィリピン進出に関する基本的なフィリピンの制度：
　　　外資に関する規制」，http://www.jetro.go.jp/world/asia/ph/invest_02（最終閲覧日：
　　　2021 年 1 月 30 日）より作成。

　小売業の資本自由化は，1980 年代後半から 1990 年代にかけて華人資本が外資のフランチャイズ方式での外食産業の展開を開始し，同時に首都圏のマカティ地区や郊外の新興住宅地に次々と大規模ショッピングモールを展開するようになった。このような状況に対して，マニラアメリカ人商工会議所を中心に小売業への外資参入についてフィリピン政府に要望と働きかけがおこなわれた[110]。

　卸売業については，外資 100％での設立が認められている。1 店舗当たり投資額は 83 万米ドル以上である。高級品および贅沢品に特化した商品を取り扱う業態では最低出資額 25 万米ドル以上となっている[111]。

　フィリピンの小売業の外資規制では，払込資本金と投資額の規制が大きな障壁である。特に小規模小売店や飲食店（フィリピンでは小売業に分類）は，フィリピンに参入するのが困難であった。なお，フランチャイズはその適用外である。

　また店舗開設に至るまでには，税務登録や各種ライセンスの取得項目が多く，

---

[110] ARC 国別情勢研究会（2016），p.129。
[111] 同上。

官僚的な手続きで賄賂を求められたりするなど不透明なところもある[112]。

　外資に特定の商品の販売を制限する規制（販売品目規制）はない。店主が敬虔なカトリック教徒である場合は，酒類，タバコ，避妊具などの商品について自主的に取り扱わないこともある。売場面積，現地調達比率，営業時間，従業員数などの規制はないが，出店可能な地域は，地方自治体（LGU）が全ての土地を区画化（ゾーニング）しており，居住エリアではなく商業エリアだけに限られる。独占禁止法や競争法などの包括的な規制は存在しない[113]。

（2）外資系小売企業の出店状況と資本自由化

1）外資小売企業の出店状況

　フィリピン国内の好景気および所得向上を背景に，2012 年ごろからマニラ首都圏を中心に多数の商業施設が新規開業している。それに合わせて商業施設の目玉テナントとして，日系の飲食業，特にとんかつ屋やラーメン屋が新規進出ラッシュの様相をみせている。小売業では，コンビニエンス・ストアではセブン‐イレブン（台湾系）やミニストップ，ファミリーマート，ローソンが進出し，外食では吉野家，味千ラーメン，ペッパーランチなどが進出している。オールドネイビーやマクドナルド，スターバックスも進出済みである。ファーストリテイリングは 2012 年 6 月にユニクロ 1 号店をオープンしたが，それに先立つ 2011 年 4 月から FS（事業化調査）を開始し，着々と準備を進めていった[114]。外資系小売業の進出では，最近，この流れが首都マニラ以外にも広がっている。

　南部ミンダナオ島の最大都市ダバオにはアメリカのコールセンター大手などが進出し，地元の雇用を増やしている。商業施設には，アメリカのフォーエバー21 やスウェーデンのヘネス・アンド・マウリッツ（H&M）など海外の有名ブランドが相次いで出店している[115]。

---

[112] 大和総研（2015），p.64。
[113] 同上，p.62。
[114] 大石・久保田（2014），p.23。
[115] 『日本経済新聞』2016 年 8 月 19 日。

2）資本自由化

　フィリピンは，国内の中小企業保護の立場から，基本的には外国資本の中小規模の小売企業の参入を規制している。小売業への参入に際して，投資優遇措置は付与されない[116]。独資での参入は難しく，よい現地パートナーを探し出し，良好な提携関係を結ぶことが重要になる[117]。すでに参入している小売企業の多くは，財閥と提携している（例：ミニストップや大創産業はゴコンウェイ財閥，ファミリーマートはアヤラ財閥，ユニクロはシー財閥と提携）[118]。

　外国資本は，セブン - イレブンなどのコンビニエンス・ストアやユニクロなどの専門店に限定的である。地場小売業の SM（シューマート）グループは 2010 年にアメリカ企業フォーエバー 21 と提携して店舗を展開している。フォーエバー・アガペー・アンド・グローリー（比資本 60%，外資 40%）を，2012 年にはファーストリテイリング（シンガポール）とファーストリテイリング・フィリピン（比資本 25%，外資 75%）を設立した。JG サミットグループは大創産業とダイソー・サイゼンを設立しサイゼン（Saizen）というブランド名で「100 円ショップ」（88 ペソショップ）を運営している[119]。またトイザラス（Toys"R"Us）の運営もしており，幅広い業態を手掛けている。

3）日系小売業の出店状況

　日系企業のフィリピン進出は，従来は輸出志向型の製造業が主であったが，現在では IT サービス業，小売業や飲食業の進出がみられる。マニラを中心に日本食レストランも増えている。

　フィリピンの堅調な経済成長や活発な個人消費を受けて，日系小売業の関心は近年高まりつつある。しかし，中小小売業に対する外資規制もあり，フランチャイズ契約以外での進出は大手小売企業が中心であった[120]。

　図表 2-8 は代表的な日系小売業についてフィリピンへの進出形態別に掲載

---

[116] 大和総研（2015），p.63。
[117] 大石・久保田（2014），p.22。
[118] 大和総研（2015），p.51。
[119] 日本貿易振興機構（2016），p.7。
[120] ARC 国別情勢研究会（2016），p.129。

図表 2-8　日系小売業のフィリピン進出形態（2000 年〜 2014 年）

企業名	事業形態	相手先と出資比率		進出年	店舗数
ミニストップ	エリアフラン チャイズ契約	ロビンソンズ・コンビニエンス・ストアーズ （ゴコンウェイ財閥） ミニストップ	59.1% 40.9%	2000	472 店舗 （2020 年 12 月末現在）
良品計画	合弁会社	ストアーズ・スペシャリスツ （タントコ財閥） 良品計画	51.0% 49.0%	2010	5 店舗 （2020 年 12 月末現在）
大創産業	ライセンス契約	ロビンソンズ・リテール （ゴコンウェイ財閥） 三菱商事		2009	55 店舗 （2016 年 8 月末現在）
ファースト リテイリング	合弁会社	SM リテール（シー財閥） ファーストリテイリング 連結対象子会社	25.0% 75.0%	2012	61 店舗 （2020 年 11 月末現在）
ファミリー マート	ライセンス契約	フェニックス・ペトロリアム・フィリピン	100%	2012	69 店舗 （2019 年 2 月末現在）
ローソン	業務提携	AC Infra（アヤラ財閥） ローソン・フィリピン		2014	25 店舗 （2020 年 12 月末現在）

出所：石川・倉沢（2014），p.23。ACR 国別情勢研究会（2011），p114。ACR 国別情勢研究会（2014），p.123。

ミニストップ，「店舗数一覧」，http://www.ministop.co.jp/corporate/about/shop/

（最終閲覧日：2021 年 1 月 30 日）。

日本経済新聞，「三菱商事，比のミニストップ保有株売却」，2018 年 9 月 5 日，

https://www.nikkei.com/article/DGXMZO35017300V00C18A9XQ9000（最終閲覧日：2021 年 1 月 30 日）。

MUJI, "Store Locator", http://www.muji.com/storelocator/?c=ph（最終閲覧日：2021 年 1 月 30 日）。

Daiso Japan, http://www.daisoglobal.com/store/list/?c_id=C0028（最終閲覧日：2016 年 8 月 31 日）。

ファーストリテイリング，「グループ店舗一覧」，

http://www.fastretailing.com/jp/about/business/shoplist.html（最終閲覧日：2021 年 1 月 30 日）。

日本貿易振興機構（ジェトロ），「フィリピンにおける小売・サービス業調査」，

https://www.jetro.go.jp/ext_images/_Reports/02/2016/454becb457c89b2e/retail_service_ph201603.pdf, p.7（最終閲
覧日：2021 年 1 月 30 日）。

ファミリーマート，「統合レポート 2019」，

https://www.family.co.jp/content/dam/family/ir/library/annual/document/UFHD_AR19J_all.pdf,　p.84（最終閲覧日：
2021 年 1 月 30 日）。

日本経済新聞，「比ファミリーマート，現地石油会社が買収へ」，

https://www.nikkei.com/article/DGXMZO22882940Q7A031C1TJ1000（最終閲覧日：2021 年 1 月 30 日）。

良品計画，「ニュースリリース」，https://ryohin-keikaku.jp/news/2017_0120.html（最終閲覧日：2021 年 1 月 30 日）。

ローソン，「2014 年，フィリピンに「ローソン」オープン」，https://www.lawson.co.jp/company/news/
detail/1246648_2504.html（最終閲覧日：2021 年 1 月 30 日）。

Lawson, "Stores", http://lawson-philippines.com/store-locator/（最終閲覧日：2021 年 1 月 30 日）。

ローソン，「AC Infrastructure Holdings Corporation とローソンが業務提携合意」，https://www.lawson.co.jp/
company/news/detail/1388411_2504.html（最終閲覧日：2021 年 1 月 30 日）。

したものである。各企業は単独出店ではなく，財閥企業と提携しており，エリアフランチャイズ契約[121]や合弁会社といった形態をとっており，進出もこの20年以内である。事業形態はミニストップがエリアフランチャイズ契約，良品計画やファーストリテイリングは合弁会社，大創産業やファミリーマートはライセンス契約，ローソンは業務提携である。

ファーストリテイリングはSMリテールと合弁会社を設立（2012年に進出）し，大創産業（ロビンソン）が2009年に，良品計画（ストアーズ・スペシャリスツ，以下SSIと表記）が2010年にそれぞれライセンス供与[122]方式で進出している[123]。良品計画はその後2017年に，SSIとこれまでのライセンス契約からパートナーとした合弁会社（SSI 51%，良品計画49%）を設立し，フィリピンでの事業強化・拡大を目指した[124]。

三越伊勢丹は，野村不動産と組んでフィリピンに進出する予定であり，首都マニラ郊外のボニファシオ・グローバル・シティ地区で同じビルの中に商業施設と住宅を入れて開発し，2021年にも部分開業する見通しである。日本の百貨店がフィリピンに進出するのは，はじめてであり，国内の百貨店市場が縮小する中，今後も経済成長が期待できるアジアでの事業拡大を急いでいる。フィリピンでは地元資本による開発も相次ぎ，三越伊勢丹と野村不動産は進出に向け，フィリピン大手不動産企業のフェデラルランドと不動産開発合弁企業を設立し，協働で取り組んでいる[125]。

フィリピンのコンビニエンス・ストアは，マニラを中心にセブン‐イレブン

---

[121] 現地事情に精通している地元企業とエリアフランチャイズ契約を結ぶことで，自社出店するコストや時間を減らし，素早く店舗拡大をする。契約企業は本部に変わり，現地で加盟店募集の権利を手にし，開発する。

[122] ライセンス供与 企業は外国企業に対して，製造方法，商標，特許，営業機密等の価値ある品目の使用権を使用料と引き換えに与えられる。これにより，企業はわずかなリスクで市場に参入でき，ライセンシーは生産技術や知名度の高い製品やブランドを手に入れることができる（コトラー，P./ケラー，K.L[2014]『コトラー＆ケラーのマーケティング・マネジメント〔第12版〕』丸善出版）。

[123] ARC国別情勢研究会（2016），p.130。

[124] 良品計画，「ニュースリリース」，https://ryohin-keikaku.jp/news/2017_0120.html（最終閲覧日：2021年1月30日）。

[125] 三越伊勢丹ホールディングス，「レポート2019〔第2版〕」，https://s3-ap-northeast-1.amazonaws.com/sustainability-cms-imhds-s3/pdf/2019_2_db_all.pdf，p.22（最終閲覧日：2021年1月30日）。

が圧倒的な力をもち，次にミニストップが続く。業界ではコンビニエンス・ストアは 200 店舗からが黒字になるともいわれている[126]。

フィリピン・セブンはフィリピンで上場しており，筆頭株主は台湾のプレジデント・チェーンストアである。1984 年の第 1 号店オープン以降の出店スピードは鈍く，1996 年にようやく 100 店舗であったが，2000 年に制定された「小売自由化法」による外資規制緩和[127] を機にスピードは速まった。2013 年に1,000 店舗をこえ[128]，2020 年 3 月末現在は 2,880 店舗である[129]。

ゴコンウェイが率いる JG サミットグループの小売のロビンソンズ傘下は，三菱商事・イオンと組んでミニストップを 2000 年より展開してきた[130]。しかし，2018 年に三菱商事は保有株式をすべて売却した。ミニストップは 2020年 12 月末時点で 472 店舗ある[131][132]。

ファミリーマートは，2012 年，伊藤忠商事およびフィリピンの SIAL CVSリテイラーズ（Ayala グループとルスタン・グループとの合弁会社）の 2 社で合弁会社（ファミリーマート 37%，伊藤忠商事 3%，SIAL CVS 60%）を設立した[133]。そして，国名の頭文字を取って VIP とも呼ばれる成長が著しい ASEAN 新興3 か国（ベトナム, インドネシア, フィリピン）の中で最後まで未進出であったフィリピンに 2013 年 4 月に第 1 号店を開店した。フィリピンでは，合弁形態というファミリーマートの海外進出の強みを生かし，お互いの強みを持ち寄ること

[126] ユニクロ・フィリピンの久保田勝美社長へのヒアリングより（2017 年 1 月 4 日実施）。

[127] 日本貿易振興機構（ジェトロ），「フィリピンにおける小売・サービス業調査」， https://www.jetro. go.jp/ext_images/_Reports/02/2016/454becb457c89b2e/retail_service_ph201603.pdf，p.6 （最終閲覧日：2021 年 1 月 30 日）。

[128] Philippine Seven Corporation, "Investor Briefing", http://www.7-eleven.com.ph/wp-content/ uploads/2016/08/PSC-Investor-Presentation-Materials-October-2014.pdf，p.6（最終閲覧日：2021年 1 月 30 日）。

[129] セブン - イレブン・ジャパン，「セブン - イレブンの横顔 2020-2021」， https://www.sej.co.jp/ library/common/pdf/yokogao2020-21_all.pdf，p.4（最終閲覧日：2021 年 1 月 30 日）。

[130] 桂木（2015），p.93。

[131] 日本経済新聞，「三菱商事，比のミニストップ保有株売却」，2018 年 9 月 5 日，https://www.nikkei. com/article/（最終閲覧日：2021 年 1 月 30 日）。

[132] ミニストップ，「店舗数一覧」，http://www.ministop.co.jp/corporate/about/shop/（最終閲覧日：2020 年 12 月 6 日）。

[133] ARC 国別情勢研究会（2016），p.129。

で顧客に支持される店舗づくりを目指してきた[134]。しかし，ファミリーマートは 2015 年に 120 店舗まで拡大したものの，業界の激化や出店政策見直しなどのためその後，鈍化した。2017 年には 68 店舗まで縮小したため，これまでの合弁会社を解消，新たに石油元売り大手フェニックス・ペトロリアム・フィリピンとライセンス契約を結んでいる。

　2014 年にはローソンが現地売上高第 4 位のピュアゴールドプライスクラブ（以下，PPCI と表記）が設立した PG ローソンに出資し，合弁で参入している[135]。しかし，2018 年に PPCI は保有全株をローソンに売却し提携を解消，PG ローソンはローソンの完全子会社となっている[136]。その後 2019 年に Ayala グループ傘下の AC Infra と業務提携し，2023 年度までに 500 店舗規模に拡大する予定である[137]。

　フィリピンに進出した日系小売業の中には，良品計画，ファミリーマート，ローソンのように事業形態や事業の出費比率・相手先が変化してきたものもある。良品計画でいえば，参入当初のライセンス契約からルスタン・グループとの合弁会社の設立となり，事業に力を入れていく姿勢が感じられる。ファミリーマートは，2017 年にこれまでの合弁会社を解消し，石油元売り大手とライセンス契約を結んでいる。今後，重要な小売拠点であるガソリンスタンドでの展開も予想できる。ローソンは 2019 年に業務提携先がアヤラ財閥のインフラ企業となった。

　本章でみてきたように，フィリピンの小売業は近代的な小売業態として，ハイパーマーケット，スーパーマーケット，コンビニエンス・ストア，百貨店がみられ，他方，伝統的小売業として，今もなお零細小売店が多くみられる。近

[134] ファミリーマート，「ファミリーマートがフィリピンに初出店，2013 年」，https://www.family.co.jp/company/news_releases/2013/20130405_01.html（最終閲覧日：2021 年 1 月 30 日）。
[135] ARC 国別情勢研究会（2016），p.130。
[136] NNA ASIA，「ローソン，現法 PG ローソンを完全子会社化」，https://www.nna.jp/news/show/1756659（最終閲覧日：2021 年 1 月 30 日）。
[137] ローソン，「AC Infrastructure Holdings Corporation とローソンが業務提携合意」，https://www.lawson.co.jp/company/news/detail/1388411_2504.html（最終閲覧日：2021 年 1 月 30 日）。

代的小売業について特筆すべきは地場の財閥系企業の存在感が強く，各財閥系企業は様々な業態の小売店を検討していることである。またフィリピン小売業において外貨参入は長い間，禁止され1993年になってようやく外国投資が認可された。この経緯はフィリピン人の雇用，特に零細小売店を営む多くの人々の雇用を維持し地場財閥企業の成長にもつながったが，フィリピンの小売近代化が遅れた要因ともいえる。

第3章　チャネルの検討と加工飲料食品

はじめに

　この章は，流通の四つの流れ－商流，物流，情報流，金融流－，チャネルの検討，加工飲料食品製造会社とそのチャネルからなる。

　第1節の「流通の四つの流れ－商流，物流，情報流，金融流－」では，商流，物流，情報流，金融流について概観する。第2節の「チャネルの検討」では，Rangan（2006）のチャネルのモデルから具体的にチャネルには4パターンあり，供給業者と最終消費者を小売，販売代理店，卸売／販売会社などが仲介することを図表で説明している。第3節の「加工飲料食品の流通チャネル」では，一般的な加工飲料食品の流通チャネルの形態とフィリピンの加工飲料食品製造会社とチャネルについて紹介している。

1. 流通の四つの流れ——商流，物流，情報流，金融流——

　流通には四つの流れ，すなわち，商流，物流，情報流，金融流と呼ばれるものがある。

　商流とは，所有権が移ることをいう。所有権とは製品を所有できる権利のことである。生産者から卸売業に引きわたされる製品は，卸売業による代金の支払いが済むと所有権が生産者から卸売業に移る。同じように卸売業から小売業，消費者とそれぞれの段階において代金の支払いによって所有権が移転していき，最終的には所有権が消費者に移る。消費者は所有権が自分にあるので，そ

の製品を消費（破壊，利用，廃棄など）できる[138]。

　物流は現実のモノの流れのことである。物流は，所有権の移転と物流が一体化している場合と，所有権の移転と物流が分離している場合がある。物流も現代は情報化していて「ロジスティクス」と呼ばれることが多いが，e コマースの発達はリアルな物流の重要性をさらに増大させている。物流を生産者から消費者までの一連の流れでみると，生産者によって生産された製品が飛行機や船，トラック等で運ばれて，卸売業の倉庫に一時的に留め置かれ，さらに小売業の店舗に並べられるまでをいう。商流と物流が分離すると，卸売業の倉庫ではなく物流専門業者の倉庫を経由して小売業へ運ばれることもあり，倉庫業は先進国では専門業者が担当している。以上のことは生産された製品が消費者への販売に向けた流れで，これを「販売物流」と呼ぶ。物流というと「販売物流」が目にみえるため注目されがちであるが，生産をするためには部品や原材料などの調達が必要なので，「調達物流」も生産者にとっては重要である。

　情報流は情報の流れである。情報流は，生産者と消費者の間を双方向に流れる。生産者が流す情報の典型例は広告であり，広告によって製品の特徴や利点などを消費者に知らせ，購入を促す。一方，消費者からの情報流には「買ったか買わなかったか」という決定的な情報や「お客様カード」などを通した意見・苦情，あるいは SNS などへの書き込みといったものがある[139]。こうした製造業者から消費者までのチャネルに介在する三つの流れ（商流，物流，情報流）によって，製品やサービスがスムーズに消費者に供給される。そして，製造会社から卸売業，小売業，消費者といったチャネルのそれぞれの段階におこなわれる業務の対価として，小売業や卸売業などチャネルを構成するメンバーに金銭の支払いが生じ，消費者はそれら業務や商品の対価として金銭を支払う（金融流）。

---

[138] 舟橋（2015a），p.133。

[139] 同上。なお，（株）プラネットでは日用品・化粧品を中心とした商品の企業間取引に必要なデータ交換サービスや商品の情報を登録・検索できるデータベースサービスなどを提供している。プラネット，http://www.planet-van.co.jp/（最終閲覧日：2021 年 1 月 30 日）。卸売業者でも小売業者でもない日本の第 3 の担い手である。

　金融流とは，貨幣（通貨）の流れである。製品の売買において商流と金融流は反対方向に流れる。無償贈与でない限り，製品の商流（所有権の移転）は，反対方向の金融流（支払い）がないと生じない。金融流は，現金での支払いやクレジットカードでの支払い，ローンでの支払い等，いろいろな形態があり，完全に支払いが済んでいないにも関わらず所有権が移転することもある。

2. チャネルの検討

(1) Rangan によるチャネルの形態

　チャネルはチャネルの段階数によって特徴づけられる。Rangan（2006）が提示した図表 3-1 のようにチャネルは 4 パターンあり，供給業者と最終消費者を小売や販売代理店，卸売／販売会社などが仲介する。

　A では，商品が供給業者から，直接，最終消費者へわたる。

　B では，商品が供給業者から，小売業にわたり，最終消費者へ至る。

　C では，商品が供給業者から，販売代理店を経由して小売店にわたり，最終消費者へ至る。なお，販売代理店は，供給業者と小売の取引を仲介し，商品の所有権を獲得する。

　D では，商品が供給業者から，卸売業もしくは販売会社を経由して，小売店にわたり，最終消費者へ至る。なお，卸売の機能は，企業や事業者を対象とした B to B の取引において求められる。この場合，卸売業は卸売を専門とする商業者であるのに対し，販売会社は，親会社である製造会社の出資により設立され，製造会社の商品を専属的に地域の小売業者や消費者に販売する卸売会社である。

図表 3-1　Rangan によるチャネルの形態

A	供給業者（supplier）→ 最終消費者
B	供給業者 → 小売（retailer）→ 最終消費者
C	供給業者 → 販売代理店（agent）→ 小売 → 最終消費者
D	供給業者 → 卸売／販売会社（wholesaler/distributor）→ 小売 → 最終消費者

出所：Rangan（2006）p.15 をもとに作成。

　以上，チャネルについて Rangan によるチャネルの形態からみていった。こ
れら枠組みや考え方については，後章のサリサリストアを介するチャネルの分
析研究に使用していきたい。

3. 加工飲料食品の流通チャネル

　加工飲料食品は，零細小売店のサリサリストアで多く扱われている商品であ
る。国内企業の商品だけでなく多国籍企業の商品も多く取り扱われており，外
国企業の活躍をみることができる。鈴木（1989）は多国籍企業の新規市場参
入には，自社のチャネルを組織するか，進出先にある既存のものを利用するか
を決定する必要があるという。本節では，フィリピンの状況を知るため，加工
飲料食品製造会社とそのチャネルについて紹介していきたい。

　フィリピンは，一年の大半が暑く湿度が高い東南アジアにあり，若年層を中
心に人口増加がみられる。ビールや清涼飲料が好まれていると同時に，所得水
準の上昇が期待されているため，消費者は満足度の高いものや付加価値の高い
ものを求め始めているという有望な市場である。しかし，市場参入には時間と
労力が必要とされる。例えば，原料の調達や販売ルートの確保，人材の獲得・
育成，役所との折衝などすべきことは多い。またグローバルブランドとの競争
や，長年消費者に親しまれた商品をもつ現地企業との競争もある。

　飲料品業界についていえば，大規模な生産設備や継続的な研究開発を必要と
する資本集約型産業である。またアルコール飲料の製造は，国からの認可が必
要なためスピーディーに経済活動を進めていくためには現地有力者との関係構
築が必須である。そのため，近年の飲料品業界では現地のパートナーを求めて
M&A（企業・事業の合併や買収）や業務提携が続いている。そして，提携した
現地企業とチャネルや営業，開発などでの連携，知見の共有をおこなっている。

　図表 3-2 はフィリピンにある加工飲料食品製造会社について，フィリピンの
トップ 500 としてあげられているリストから，収益の多い順に上位 5 社をあ
げたものである。

図表 3-2　フィリピンの加工飲料食品製造会社（2017 年）

企業名	業種	収益 （百万ペソ）	収益順位 （全業種）	由来
ネスレ・フィリピン	飲料食品	125,741	25 位	スイス
ユニバーサル・ロビーナ	食品	125,008	26 位	フィリピン
サンミゲル・ピュアフーズ	食品	117,449	31 位	フィリピン
サンミゲル・ブルワリー	アルコール飲料	100,234	37 位	フィリピン
コカ・コーラ・ビバレッジズ・フィリピン	飲料	59,124	52 位	アメリカ

出所：The Manila Times 500（2016），p.62, 68 より作成。

　このうち親会社が外国企業であるのは，ネスレ・フィリピンとコカ・コーラ・ビバレッジズ・フィリピンの 2 社である。ネスレ・フィリピンは親会社のネスレ本社がスイスにある多国籍企業で世界最大の食品・飲料会社であり，フィリピン国内での事業は開始から 100 年以上となる。はじめフィリプロがネスレ製品を輸入販売していたが，1960 年ネスレとサンミゲル・コーポレーション（以下，SMC と表記）がヌトリプロを設立した。1977 年にはフィリプロとヌトリプロが合併しフィリプロに，1986 年には現在のネスレ・フィリピンへと名称を変えている。そして，1998 年に SMC が保有株式をネスレに売却し，ネスレ・フィリピンはネスレの 100％子会社となった[140]。

　コカ・コーラ・ビバレッジズ・フィリピン（以下，CCBPI と表記）は，コカ・コーラ（アメリカ）が 100 の株式（間接保有分含む）を保有するコカ・コーラ・ボトラーズ・フィリピンであったが，2013 年，メキシコに本拠をおく中南米最大規模の飲料製造会社でコカ・コーラブランドのフランチャイズとしては世界最大級のコカ・コーラ FEMSA が株式 51％を取得しコカ・コーラ FEMSA・フィリピンとなった。しかし，2018 年にアメリカ本社へ売り戻され現在の CCBPI となっている[141]。

　フィリピン地場の加工飲料食品製造会社として，ユニバーサル・ロビーナ（食品），サンミゲル・ピュアフーズ（食品），サンミゲル・ブルワリー（ビール製造），

---

[140] Nestlé Philippines, "History", https://www.nestle.com.ph/aboutus/history（最終閲覧日：2021 年 1 月 30 日）。

[141] NNA ASIA,「コカ・コーラ現法，米本社に事業売却」, https://www.nna.jp/news/show/1802242（最終閲覧日：2021 年 1 月 30 日）。

アジア・ブルワリー（飲料），ニュートリアジア（調味料製造），モンデ・ニッシン（食品）などが代表的である。

ユニバーサル・ロビーナは，JGサミットグループに属するフィリピン最大の食品企業である。飲料も手掛けるが規模は小さい。前身企業のユニバーサル・コーンプロダクツは1957年にトウモロコシの加工飲料食品を製造する事業として開始された。創業者は両親が中国から移住してきた中華系のジョン・ゴコンウェイである。ユニバーサル・ロビーナは日系・欧米企業との提携も多く，ネスレ，ダノン，日清食品，カルビー等と合弁をしている。日清食品は2014年に出資比率を引き上げており，同年にはユニバーサル・ロビーナと提携をしたカルビーは，フィリピン市場に向けた新商品－わさび味，ピザ味など日本風のポテトチップスを発売している[142]。

サンミゲル・ピュアフーズやサンミゲル・ブルワリー（以下，SMBと表記）の親会社であるSMCは，設立が1890年である。マニラに駐在していたスペイン系ビジネスマン，ドン・エリンケによって設立されたアジアで最初のビール醸造所である。設立後間もなくスペイン系財閥のAyalaグループが経営に関与し，以降，アヤラの係累であるソリアノファミリーによって運営された。1970年代からコファンコファミリーがサンミゲルの株式を徐々に取得している。SMCは，フィリピンビールのナショナルブランドであり，ビール事業のSMBはフィリピンのビール市場のシェアの90％を支配しており，キリンが48.39％の株式をもつパートナーである。サンミゲルグループのコアビジネスは，食品，包装，燃料，石油，電力，そして，インフラの高度な統合事業と多様化している[143]。2018年にはグループの食品と飲料事業を統合し，サンミゲル・フード・アンド・ビバレッジを発足し[144]，SMCは88.76％の株式をもつ[145]。

[142] 桂木（2015），pp.86-87，p.170。
[143] San Miguel Corporation, "Our Company", https://www.sanmiguel.com.ph/page/our-company-inner（最終閲覧日：2021年1月30日）。
[144] フィリピンプライマー，「フィリピンサンミゲルの飲食事業の大統合が完成」，https://primer.ph/economy/top_news/philippines-san-miguel-restaurant-business/（最終閲覧日：2021年1月30日）。
[145] San Miguel Food and Beverage, "Shareholding Structure", https://www.smfb.com.ph/page/shareholding-structure（最終閲覧日：2021年1月30日）。

　図表 3-2 にある上位 5 社以外では，アジア・ブルワリー（以下，ABI と表記）は LT グループに属しており，前身は 1965 年に設立されたフォーチュン・タバコである。創業者は中国で生まれ，7 才のときに両親と一緒に渡比したルシオ・タンである。中級クラスのタバコ市場に着目し，高品質で安価なタバコを供給することで消費者の支持を得て，大きなシェアを獲得した。2000 年にフィリップ・モリス（アメリカ）との共同経営となり，ルシオ・タンはタバコ製造販売会社の議決権の 49.6% を握る。フィリピンでのシェアは 80% と圧倒的である。酒類事業では，1982 年に ABI を設立してビール事業に参入したが，設立は非上場会社である。過去にカールスバーグと提携した時期がある[146]。近年は，アサヒと業務提携や 2016 年には世界第 3 位のビール企業ハイネケン（オランダ）と合弁企業「AB ハイネケン・フィリピン」を設立した。それは高級ブランドに位置づけられる海外ビールを増やし[147]，現在のシェア 9% から SMB のシェア 90%[148] に対抗する狙いであった。しかし，2020 年に合弁体制を変更し，ハイネケンはマニラに販売拠点を設立するも今後も供給体制を維持すると発表している[149]。

　ニュートリアジアは，設立が 1997 年のフィリピン最大の調味料の製造会社であり，デルモンテやハインツのケチャップも製造している。フィリピン最大の製薬会社ユニラブ（ユナイテッド・ラボラトリーズ）をコアとするユニラブ・グループにある。ユニラブは 1945 年に中国からわたってきたホセ・カンポスがユニラブの前身となるドラッグストアを設立したのが由来となる[150]。

　2017 年売上 31.6 憶ペソのモンデ・ニッシンは，フィリピンの大手食品製造会社でインスタントヌードルやビスケット等を製造販売している。インスタントヌードルでは約 80% の国内シェアがあり，"Lucky Me" というブランド

---

146 桂木（2015），pp.88-89。
147 日本経済新聞，「ハイネケン，フィリピンで合弁」，2016 年 5 月 27 日，https://www.nikkei.com/article/DGXLASDX27H1U_X20C16A5FFE000（最終閲覧日：2021 年 1 月 30 日）。
148 桂木（2015），pp.88-89。
149 LT Group, "Press Release", "Asia Brewery and Heineken realign partnership", https://ltg.com.ph/wp-content/uploads/bsk-pdf-manager/2020/10/2020-Oct-13.-Press-Release-re-ABI-and-Heineken-realign-partnership.pdf（最終閲覧日：2021 年 1 月 30 日）。
150 桂木（2015），p.96。

名で親しまれている。また製品の一部はインドネシアやタイなど周辺諸国にも輸出されている[151]。

デルモンテ・フィリピンはフィリピンでの事業に90年以上の歴史があり，シンガポールに拠点をおくデルモンテ・パシフィック（以下，DMPLと表記）の子会社である。DMPLの最大の市場はグループ売上72%を占めるアメリカで，フィリピンが16%と続く[152]。2017年のフィリピンでの売上は10.1億ペソである。DMPLはフィリピンのカンポスファミリーがもつニュートリアジア・パシフィックとブルーベル・グループが71%出資している[153]。ニュートリアジア・グループは，フィリピンの液体調味料やソース，料理油のマーケット・リーダーである[154]。

次に加工飲料食品におけるフィリピンの流通チャネルについてみていきたい。図表3-3の中での「小売」には近代的小売業と伝統的小売業の食品小売が含まれる。食品小売の近代的小売業は0.4万店舗あり5千億ペソの年間売上であり，伝統的小売業は，79.9万店舗あり1.3兆ペソの年間売上がある[155]。

フィリピンの加工飲料食品の流通チャネルには図表3-3にあるように，Aでは国内製造会社から直接，小売に搬入されるルート，Bのように販売代理店を介するルート，Cのように販売代理店，卸売・市場を介するルート，そして，Dのように国内製造会社から直接，卸売・市場を介して小売に搬入されるルートがある。

フィリピンでは，日本や欧米に比べ卸機能があまり発達していない。特定地

[151] サタケ，ニュースリリース，
https://satake-japan.co.jp/news/new-release/news120912.html（最終閲覧日：2021年1月30日）。
[152] Del Monte Pacific, "About Us", https://www.delmontepacific.com/about-us/markets-and-operations（最終閲覧日：2021年1月30日）。
[153] Del Monte Pacific, "Shareholders", https://www.delmontepacific.com/about-us/company-structures（最終閲覧日：2021年1月30日）。
[154] Del Monte Pacific,
http://www.delmontep.acific.com/Website/Content.asp.x?i=1
（最終閲覧日：2016年8月18日）。
[155] 大和総研（2015），p.55。

図表 3-3　フィリピンの流通チャネル（加工飲料食品）

A	国内製造会社　→　小売
B	国内製造会社　→　販売代理店　→　小売
C	国内製造会社　→　販売代理店　→　卸売・市場→　小売
D	国内製造会社　→　卸売・市場　→　小売
E	海外製造会社　→　輸入商社／輸入販売代理店　→　小売
F	海外製造会社　→　輸入商社／輸入販売代理店　→　卸売・市場　→小売

出所：大和総研（2015），p.55 をもとに作成。

域をカバーする食品卸売や全国展開する外資卸売などが若干あるものの，大規
模で全国をカバーするような食品卸売企業はほとんどない。このためモダント
レード（近代的小売業）の場合，ディストリビューター（販売代理店）を介すか
製造会社から小売へ直接配送されるのが一般的である[156]。

　以上，本章では最初に流通の四つの流れ－商流，物流，情報流，金融流につ
いて概観した。次に商品を流通させるチャネルを検討し，チャネルの形態の一
例として Rangan（2006）のチャネルの4パターンについて，供給業者と最終
消費者の間を小売や販売代理店，卸売／販売会社などが仲介することを図表で
説明した。最後にフィリピンにある加工飲料食品製造会社とそのチャネルにつ
いて紹介した。次章では，フィリピンの流通において欠くことのできない零細
小売業サリサリストアを中心に説明していく。

---

[156] 大和総研（2015），p.55。

第4章　サリサリストア

はじめに

「サリサリストア」はフィリピンにおいて日用品から食料品まで様々な商品を取り扱う零細小売業の総称である。

フィリピン経済では国内総生産の約80％を個人消費支出が占め，経済を底支えしている。サリサリストアは都市部・農漁村部を問わず全国に散在し，フィリピンの消費活動に大きな役割を果たしている。中西（1991）の調査によると，マニラの都市スラムであるトンド地区には10家庭に1店舗の割合でサリサリストアが存在している。

フィリピン人海外労働者（OFW）が海外で稼いだお金を資金としてフィリピン国内で事業を始める最も手軽な形態は，サリサリストアであるともいわれている[157]。フィリピンの近代的小売業は成長しているが，店舗数だけをみると，伝統的小売業が多数を占めている。また食料雑貨についていえば，近代的小売業の多くの顧客は伝統的小売業のサリサリストアの店主である。スーパーマーケットなどの近代的小売業で仕入れた商品に利益をのせ，少量単位で店舗近隣の人々に販売している。近代的小売業の成長に伝統的小売業の囲い込みは欠くことができない[158]。

ここではフィリピンの流通に欠くことができない零細小売業サリサリストアについて記述する前に，零細小売業の役割について検討していきたい。

---

[157] 日本貿易振興機構（ジェトロ）マニラ事務所（2016），p.3。
[158] 舟橋（2017a），p.49。

1. 経済発展の中での小売業

　零細小売業は「事業規模が零細」であり，「利潤の拡大化や企業成長を目指すのではなく，その事業主と家族の生計費の獲得」を目的とし，「経営組織は事業主とその家族によって維持され，常時事業者を雇用しない」，「経営と家計が未分化であり，事業に投下される資金は資本として機能しない」と定義づけられる[159]。

　小売業は流通の最末端に位置しており，その様態は産業の発展状況によって，大きく規定される。生産が職人的な家内生産の場合は生産の拠点である店舗で商品は販売される。大量生産体制が確立されると生産者と商業者は分離する。そして，広域流通を担う卸売業と市場開拓の末端部分を担う小売業が分離することになる[160]。

　発展途上の初期段階では，産業構造の中心は農業である。しかし，必需品の商品経済は進行し，多くの小規模生産者が生まれ販売をおこなっていた。ただし必需品は技術的に単純であり，種類も多くはない。生産量の増加につれ人口増加が生じ，中小都市が形成されるが，人口の大部分は農村地域などに分散している。このような中で商人が登場する[161]。

　零細小売業は，もっぱら家族労働にのみ依存し，その経営規模は零細である。加えて，その経営指向は生業的である。経営目的は生計維持のためのキャッシュフローの獲得である。そのため生業店とも呼ばれる[162]。

　中心都市でのよろず屋的商人は，商業網の中心に位置する。主要農産物が市場に流れる際の経路であり，また工業品や輸入原料を都市の手工業者や農村の商店主に供給した[163]。よろず屋的商人は，あらゆる種類の商品の卸売と小売

---

[159] 田村（1981），p.103。
[160] 石原（2004），p.264。
[161] 田村（2001），pp.118-119。
[162] 同上，p.119。
[163] Porter, G. and Livesay, H.C.（1971），山中・中野・光澤訳，1983 年，p.20。

に従事しただけではなく金融業者，輸送業者としても機能した[164]。

　発展途上段階から工業化段階に向かう過程では，多くの製品の商品化にともない，生産者数，商品の数量と種類，消費者数などが増加する。また交通体系が改善され市場が地理的に拡大していく。このような過程で，よろず屋的商人が果たした役割は大きい。取引量の拡大につれ金融機能や輸送機能は，次第に専門業者にゆだねられるようになる。それだけでなく，流通業者としてのよろず屋的商人も，その機能を分化させることになる。つまり，小売と卸売の段階的分化である[165]。

　小売と卸売の違いは取引相手である。小売は消費者を相手とする取引であり，卸売は小売取引以外のあらゆる取引を含み，その取引相手は消費者をのぞく他の組織である[166]。特に流動負債と流動資産の違いも大きな特徴である。卸売は売掛金・買掛金が共に多く，特に小売に対する売掛金のほうが大きいのが一般的である。小売は買掛金が多いが売掛金は少ない。しかし，フィリピンのサリサリストアは売掛金も多い。

　後節で零細小売業のサリサリストアに着目していくに当たり，ここでは零細小売業について，(1) 営業目的，(2) 零細小売業保護，(3) 存続理由，(4) 寡占的製造会社との関係について整理していきたい。

(1) 零細小売業の営業目的

　零細小売業は，「生活費」を得ればよいという「利潤目的」ではなく，いわば「資本」とは認められない商業で，他人を雇用せず，商店主もしくは家族従業者からなる「自営業」であり，非近代的・非資本主義的な小売業であることを前提とする[167]。それは，開業が容易であり，商品の種類や規模を問わなければ特別な技術はいらず，ごく僅かの資金で足りる[168]。商人になりたいという強い

---

[164] Chandler, A.D (1977)，鳥羽・小林訳，1979 年，p.32。
[165] 田村 (2001)，p.120。
[166] 同上。
[167] 出家 (2002)，p.63。
[168] 森下 (1970)，p.252。

意思と希望以外はなにももたないか，あるいは商才はあっても開業に必要な資
金が少しもない人でさえも開業可能である[169]。

　零細小売業は，ある程度の所得や自己の企業をもつという社会的地位に満足
し，少数の従業員を雇用することで権力欲がみたされる。あるいは副業・兼業
として家計の補助程度の収入を得ることに満足する。最も多いのは，生業や家
業と呼ばれる自己と家族の生活維持である。そのため，事業主の資質やライフ
サイクル，地域社会の生活水準が事業目的に影響する。その一方で，小規模な
事業であっても企業家として，利潤の増大，資本の蓄積を目的とし，企業規模
の拡大や社会的地位の向上を目指す人もいる[170]。

(2) 零細小売業の保護

　零細小売業は資本ではなく経済的弱者であるがゆえに保護すべきという考え
と，零細小売業を資本として成り立つような近代的な商業資本へ高めるために
商業近代化を推し進めるべきで，このような自助努力をするものは助けるが，
しないものへの保護は無意味である，とみる考えに大きく分かれる[171]。

　前資本主義的な形態であるにもかかわらず，資本主義社会でその零細小売業
の存在意義を「社会的役割」から強調することによって，零細小売業の擁護を
しようという立場は零細小売業の擁護論の特徴である。それゆえに経済的弱者
の立場と社会保障の必要性とがセットになって論じられ，その結果，なにがな
んでも擁護せよという色彩を色濃くもつことになる[172]。零細商店こそ流通が
もつ毛細血管的役割を果たし，消費者に接近して日々，地域住民に密着しつつ，
商品供給の大きな役割を果たしており[173]，商業の社会性に位置づけられると
いう考えに基づいている。

---

[169] 森下（1970），pp.252-253。
[170] Wittereich（1962），p.149.
[171] 森下（1970），p.56。
[172] 同上。
[173] 保田（1988），p.262。

(3) 零細小売業の存続理由

糸園 (1983) は，中小零細小売商の存続理由として，兼業であること，営業以外の収入があること，製造小売であること，貧困に耐えられることをあげている。

零細小売業の多くは，店での営業以外の収入により生活費の不足分を補おうとする。また経営の悪化により経営収支が赤字状態になっても，すぐには店舗を閉鎖，廃業はしない。それは生計を共にする家族の存在があり，固定客を失わないようにするためである[174]。

田村 (1986) は，大型店と零細小売商はまったく異なる環境条件のもとで存在しているという。大型店進出が零細小売商を圧迫するという見解は実証的にみると一つの幻想にすぎない[175]。大型店と零細小売商の得意とする取扱商品が違うことは零細小売業が存続する理由の一つであるという。

(4) 寡占的製造会社との関係

零細小売業は商取引を細分化し，商品販売時の流通費用を増大させる[176]。しかし，社会的流通費用を寡占的製造会社[177]がすべて負担しているのではなく，一部は商業労働者が，一部は消費者が負担しており，寡占的製造会社は零細小売業の増大による流通費用の増大の大部分を零細小売業に負担させる。その結果，零細小売業は流通費用を収益から支払うことになり，彼らが受け取る利得は商業労働者の賃金よりも低くなる。そのため，寡占的製造会社は零細小売業を排除せず，むしろその増加を奨励さえする[178]。

寡占的製造会社は市場のすみずみまで商品を行きわたらせ，1人でも多くの消費者にその商品の存在を認知させることが必要である。その目的のためには

---

[174] 糸園 (1983)，p.150。
[175] 田村 (1986)，p.124。
[176] 森下 (1970)，p.253。
[177] 市場で圧倒的なシェアをもつ独占企業の資本形態。銀行資本と産業資本が融合して19世紀後半にイギリスやアメリカ，ドイツで生まれた。
[178] 森下 (1970)，p.346。

消費者に近接して多数に散在する零細商業は自社にとって有益であり，寡占的製造会社は零細商業をできる限り利用することに努める[179]。

2. 零細小売業サリサリストア

　零細小売業は「事業規模が零細」，「事業主と家族の生計費の獲得」を目的とし，「経営組織は事業主とその家族によって維持される」，「経営と家計が未分化である」ことが特徴である。

　小売業の特徴としては，空間的・地域的範囲が極めて狭い地理的領域に制約されている点があげられる[180]。フィリピンの都市部では渋滞がひどいことから多くの人々は近隣で買い物を済ませる。また農漁村部や山岳地帯では交通の便が少なく移動が不便である。そのため，フィリピン全土どこにでもある零細小売店サリサリストアは，フィリピンの人々にとって欠くことのできない存在となっている。サリサリストアは，女性を中心としたオーナーが自営するフィリピンでの零細小売業の総称であり，店主の経済的自立や，店員や出入り業者の雇用創出，日用物資の供給を可能にしている。

　サリサリストアは，12世紀に中国との交易を得てフィリピン国内に広がった[181]。掛け売りのため貧困者でも商品購入が可能であると同時に，「バラ売り」，「量り売り」，「貸し出し」をおこなう。タバコや蚊取り線香，シャンプー，リンスなどの日用品を1個単位で販売し，塩，砂糖などの調味料はグラム単位で，キャンディーやガムといった菓子も1個単位で買い求めることができる。女性店主がほとんどであり，住居と店舗を兼ねている。家族で交代して店番をおこない，朝は7時頃から夜は10時近くまで店を開いている。住人の情報交換・憩いの場でもあり，商品を購入するだけでなく，仕事の情報などを得ることができる。店主の家庭にとっては，日常物資の実物貯蓄としての機能も果たして

---

[179] 森下（1970），p.346。
[180] 岩永（2017），p.1。
[181] 野沢（2009），p.212。

いる。

　サリサリストアには，米，パン，野菜，果物，缶詰，菓子，飲料，タバコ，調味料（酢・醤油・魚醤・ココナッツ油），嗜好品，簡単な薬品，白灯油，木炭，石鹸，トイレットペーパー，文房具，漫画本などの雑貨類が見受けられる[182]。携帯電話の通信用 SIM カード販売や携帯電話機の充電，通信料金のチャージがおこなえる店舗もある。サリサリストアの取扱商品は，例えば，インスタントラーメンはフィリピン企業の製品が 7.5 〜 10 ペソ（約 15 〜 20 円），ミネラルウォーターは 500 ミリリットル 15 ペソ（約 30 円）程度，米は 1 キロ 30 〜 35 ペソ（約 60 〜 70 円（※平均 5 人家族の 1 日分 2 キロ）），イワシの小さな缶詰は 20 ペソ（約 40 円），飲み薬（欧米製，フィリピン製）は 1 錠 5 ペソ（約 10 円）程度から購入可能である。またタバコは 1 本 9 ペソ（約 18 円）の 1 箱 140 ペソ（約 280 円）で販売されるが，年々税率が引き上げられており，今後も値上がる見通しである。

　写真 4-1 と 4-2 は，ルソン島の近隣にある農漁村，アラバット島のサリサリストアと店内にある商品を示している。他の地域のサリサリストアにもみられるように商品や現金をやりとりする窓には格子がはめられている。店内には外から見える以上に商品が備蓄されている。

　各店舗には店主の名前等をつけた固有名称が付いている。しかし，都市スラムでは最小の自治単位であるバランガイ（タガログ語：baranggay）[183] に名

写真 4-1　農漁村のアラバット島にある　　　　写真 4-2　サリサリストア店内の商品
**　　　　　　サリサリストア**

筆者撮影

筆者撮影

---

[182] 中西（1991），p.150。
[183] 市町村の中に多くのバランガイがある。

義登録していないストアも多く，店名が付けられていないこともある。国道沿いや市街地でのストア開店時には，看板代金を携帯電話サービス会社やタバコ会社，加工飲料食品会社等が店主に代わって支払うときがあり，その見返りに看板には店舗の名前とともにその企業の名前や商品を載せることができ，広告手段の一つとなっている。

写真 4-3　サリサリストアの看板

筆者撮影

　家族や個人でサリサリストアを始めたほとんどの理由は，副収入を得たかったからという。夫の稼ぎが十分ではないという理由で妻がこのビジネスを始めることもある。特に就学児童がいる家庭では，学校で使う教材や給食などのためにも現金が必要である。

　サリサリストアを開業するためには[184]，資本金もしくは現金が必要となる。そして，バランガイから営業許可を得る。

　サリサリストアを始めることは非常に易しい。卸売のような大きなストアを除き資金があればいつでも始めることができる。サリサリストアを始めるにあたっては，貯蓄を用いて始める場合もあれば，知人に借金を依頼する場合もある。多くの人々は貯蓄がないため5'6（ファイブシックス）[185] から借金をする。

---

[184] 複数のサリサリストア店主からの聞き取りによる。
[185] フィリピンで一般的な非合法の高利貸しである。インド人が生業としていることが多い。借りた金額（1,000ペソ）を5で割った金額（200ペソ）を6倍した金額（1,200ペソ）が返済額になることに由来する。借りた金額や返済期間に関わらず，一律20％の利息が付く。借り主は一括返済が難しいため，毎日少しずつ返済する。

高利貸しは支払遅延の場合には利子付きでの分割払いも認める。規模が比較的大きなサリサリストアでは，政府（national government）に税金を払うことも求められる。

　サリサリストアは，フィリピンの小売業界の総事業者数の約 9 割を占めている[186]。食品日用雑貨でみた小売業態別の売上シェアは，サリサリストアなどの零細小売店が約 7 割を占めている[187]。フィリピンでは飲食料品の家庭内消費が家計の 42.0%，アルコール飲料・タバコが 1.4% を占めており[188]，家計の 4 割以上を占めるこれら商品を提供するサリサリストアが人々の生活に果たす役割は大きい。

　サリサリストアは，「バラ売り」，「量り売り」，「貸し出し」によって，都市部・農漁村部を問わず BOP 層の購買活動に欠かせない存在である[189]。企業はサリサリストアを媒介として BOP 層にアクセスしており，サリサリストアの消費者には「BOP 市場」が対象とする「経済ピラミッドの下層の人々」も含まれる。

　フィリピンにおいて一般に理解されているサリサリストアとは，米，パン，野菜，果物，缶詰，菓子，飲料，タバコや調味料（酢・醤油・魚醤・ココナッツ油）等の食料品や嗜好品，簡単な薬品，白灯油，木炭，石鹸，トイレットペーパー，文房具，漫画本等の雑貨を「ばら売り」(tingi)，「量り売り」(takal) ないしは貸出しする「万屋」的な小売業である[190]。携帯電話の通信用 SIM カード販売や電話機の充電，通信料金のチャージがおこなえる店舗もある[191]。Smart Communications[192] は携帯電話のプリペイドカードを，サリサリストアを通じて販売し，BOP 層をも含むフィリピン市場を獲得している[193]。ツケ払いが

[186] 日本貿易振興機構（ジェトロ）農林水産・食品部農林水産・食品調査課（2012），p.4。
[187] 日本貿易振興機構（ジェトロ）マニラ事務所（2011），p.4。
[188] Philippine Statistics Authority Philippine Statistics Authority, "National Accounts of the Philiippines", https://www.psa.gov.ph/sites/default/files/2HFCE_93SNA_qtrly.xlsx（最終閲覧日：2021 年 1 月 30 日）。
[189] 舟橋（2011a），p.51。
[190] 中西（1991），p.150。
[191] 舟橋（2011a），p.51。
[192] フィリピンの通信事業会社である。
[193] Anderson & Billou（2007），p.15。

できる店舗があること，そして，少量単位で買い求めることができることから，富裕層を除いた多くの人々の冷蔵庫的役割を果たしている。実際，フィリピンの電気料金は先進国以上に高く，しかも，電化製品は値がはることから，下層の人々は冷蔵庫を自宅にもたない[194]。

　典型的なサリサリストアは，店主の家で営業され，平均的な店舗サイズが2メートル×4メートルで，陳列棚や貯蔵庫，作業所も兼ねている。一般に，大きな窓を介して店外の顧客に商品を販売し，店舗によっては休憩所や食堂をもっている。通常，公共建造物の近くの大通りや道路脇に店舗を構えている[195]。都市部・農漁村部を問わず全国に散在し，その数は圧倒的に多い[196]。フィリピンの小売業界は，総事業者数の約9割を占める零細事業者（サリサリストア）と少数の大規模近代的小売業（スーパーマーケットやハイパーマーケット等）から成っており，サリサリストアの2010年における推定値は約77万店舗[197]である[198]。

　フィリピンではスーパーマーケットよりもサリサリストアが好まれる。それは，店舗のアクセスのよさや立地，品揃え，サービスなどによる。スーパーマーケットの売上は伸び悩んでおり，その理由は，道路インフラが整っておらず交通が不便なことと，掛け売りをする「親しみのある近所のストア」＝「サリサリストア」の存在がある[199]。低所得の人々は平均的にサリサリストアで，週に4回から5回買い物をする[200]。

　バイヤー[201]は低コストのハウスブランドをもつスーパーマーケットに行き，消費者は，ほとんどが生鮮食品マーケットやサリサリストアといった伝統的な

---

[194] 舟橋（2017a），p.204。

[195] Chen (1997), pp.8-9.

[196] 野沢（2009），p.212。

[197] ACNielsen の Shopper Trends Asia Pacific 2003 の調査では，サリサリストアの店舗数は2002年時点で56万6,260店舗とある。
Trade and Industry Information Center, Department of Trade & Industry Philippines(2004), p.5.

[198] 日本貿易振興機構（ジェトロ）農林水産・食品部農林水産・食品調査課（2012），p.4。

[199] Trade and Industry Information Center, Department of Trade & Industry Philippines (2004), p.5.

[200] Anderson, J. & Billou, N. (2007), p.16.

[201] スーパーマーケットより小規模の小売商店，例えば，サリサリストアの店主があげられる。

ストアに行く。全国規模で食品雑貨へ1か月間に費やす平均金額は，1人当た
り 6,000 ペソ（約 12,000 円）である[202]。

　組織化された近代的小売業には，ショッピングモール，ハイパーマーケット，
スーパーマーケット，コンビニエンス・ストア，百貨店等の業態がある[203]。フィ
リピンの小売業の資本自由化は，サリサリストアや行商人の生活を保障するた
め，長年，これらの近代的小売業態が外資法のネガティブリストにあげられてい
た。しかし，1980 年代後半から 1990 年代にかけて，華人資本が外資のフラン
チャイズ方式での外食産業を展開し，同時に首都圏のマカティ地区や郊外の新興
住宅地に，次々と大規模ショッピングモールがみられるようになった[204]。1993
年には外国投資が認められ[205]，ショッピングモールやスーパーマーケット，コ
ンビニエンス・ストア等が展開されている。専門店ではドラッグストアのチェー
ン展開が目立つ[206]。しかし，店舗数からいえば，サリサリストアには遠く及ば
ない。

　フィリピン以外にも全世界で食料品や雑貨などを扱う地元の零細小売店があ
るだろう。例えば，インドでは「キラナ」と呼ばれる商店がある。ユニリーバ
のインド子会社，ヒンドゥスタン・ユニリーバは，この商店を通してウィールと
いうブランドの洗剤を販売し，農村の洗剤市場へ参入することに成功した。この
零細小売店は，地域に綿密なネットワークをもち，数多くの店舗がある[207]。

　図表 4-3 は，サリサリストアでみられた多国籍企業商品である。中でも，ネ
スレとユニリーバの商品は多くのサリサリストアの店頭に陳列されており特筆
すべきものがある。この 2 社のサプライヤーや営業員はサリサリストアへの
来店に力を入れており，商品提供や受注発注の機会を増やしている。地元に密

---

[202] Trade and Industry Information Center, Department of Trade & Industry Philippines (2004),
　　p.5.
[203] ARC 国別情勢研究会（2010），p.102。
[204] このような状況に対して，小売業への外資参入について，マニラアメリカ人商工会議所を中心に
　　フィリピン政府に要望と働きかけがおこなわれた。現在では，払込資本金額が 250 万米ドルを超え
　　る小売業に関しては，原則として外資参入ができる（ARC 国別情勢研究会，2010，p.102）。
[205] Digal (2001), p.30.
[206] ARC 国別情勢研究会（2010），p.102。
[207] Simanis (2010), p.117.

図表4-1　サリサリストアにみられる多国籍企業商品

企業名	本社	ブランド	商品種類	商品特徴
ネスレ	スイス	Nescafe Milo	インスタントコーヒー 粉末飲料	
ユニリーバ	イギリス (オランダ)	Knorr Lipton Sunsilk Cream Silk Surf	乾燥スープ (シニガン他) 紅茶 シャンプー リンス 洗剤	使いきりタイプ 少量パッケージ フィリピン人の嗜好 やニーズにあった
P&G	アメリカ	Pantene Tide, Ariel Pampers	シャンプー, リンス 洗剤 紙おむつ	商品
フィリップ・モリス	アメリカ	Marboro	煙草	1本9ペソ程度 (約18円) 1箱140ペソ (約280円) 程度
コカ・コーラ	アメリカ	Coca-Cola	炭酸飲料	1本 (1.5l) 70ペソ (約140円) 程度,フィリピンの炭酸飲料は 1本 (325ml) 33ペソ (約66 円) 程度
大日本除虫菊	日本	KINCHO	蚊取線香	1個から販売
メントス	オランダ	Mentos	キャンディー	個装,1個1ペソ (約2円) 程度

出所：筆者作成。

　着したこの2社の取り組みは下記の通りである。

　ネスレ・フィリピンは，食品・飲料・栄養食品・医薬品等を取り扱う。Nescafe ブランドは1938年に開始されており，フィリピン人はコーヒー好きで，多くのBOP層も朝食代わりに飲んでいる。一回分の使いきりパッケージで販売しているため買い求めやすく，ミルクと砂糖入りインスタント・コーヒーが人気である。

　ネスレ・フィリピンは，1994年には実験農場を始め，これまで農家やコーヒー専門家，学生などに研修を実施してきた。契約農家には無料の技術支援をおこない，日照りや土壌の浸食といった問題にも対応している。これらの支援によって，農家ではコーヒー豆の生産性や品質を高めることができた。直接取引を結んでいる農家も多く，仲介業者に手数料を支払う必要がないので商品価格を下げることが可能となる。コーヒー農場以外にも，仕事がない女性に縫製技術を指導して生計手段を得る機会をもたせ，でき上がった商品は企業や研究

所にユニホームとして納入する。事業主となった者に対する支援もおこなう。

　「Micro-Distributorship（MD）Program」というものもあり，これは，高校卒業以上の無職の人々に対するプログラムであって，小規模事業主として，ネスレ商品をサリサリストアに売るトレーニングをおこなっている。既存の卸売業者ではカバーできない人口密集地の小規模ストアに販売する役目を担っている。

　ユニリーバ・フィリピンは，栄養や衛生，パーソナルケアといった日常のニーズをみたすことを目的とした消費財製造会社であり，それぞれの分野で多くのブランドをもっている。また社会貢献活動にも力を入れており，ボランティアに従業員や近隣の人々，学生を募り，マニラ湾の清掃などをおこなうことや，環境に配慮したリサイクル可能なパッケージの開発もおこなっている。

　ユニリーバの個々のブランドはフィリピン社会に浸透している。例えば，クノール（Knorr）では様々な乾燥調味料製品を提供することで，野菜を使った栄養バランスの富んだ料理を紹介している。子供が栄養不良になりがちなフィリピンでは，Meaty Pang–gisa Mix という肉風味と乾燥野菜などが豊富な商品やフィリピン料理独特の魚介類を醗酵させた「シニガン」スープの素も販売している。リプトン（Lipton）ではバニラ風味でミルクと砂糖入りのフィリピン人好みの紅茶を販売している。クリームシルク（CreamSilk）は，1984 年にフィリピン市場に参入したヘアケア製品である。フィリピン女性の髪質に合わせたフィリピンだけのコンディショナーブランドであり，パッケージの写真にある美しいロングヘアーに憧れるフィリピン女性の人気を得ている。サーフ・エクセル（Surf Excel）は，すすぎが不要な洗濯洗剤であり，欧米だけでなくフィリピンでも馴染み深い洗濯洗剤 Surf の拡張ブランドである。フィリピンの中でも水の供給が乏しい地域の消費者向けに開発された。

　ネスレとユニリーバは，それぞれの現地独立法人をもち，フィリピン人の嗜好に合った甘味の強い加工飲料食品を零細小売店や露店でも購入しやすいよう小分けのパックに商品化して提供している。ネスレでは価格を下げるための努力や流通の工夫，そして，雇用の創出を目指している。ユニリーバの特徴としては，栄養不良や水不足といったフィリピンの社会課題に適応した商品開発を

目指していることがあげられる。また地域の環境改善の取り組みを社会貢献活動として実施している。

　以上にみられるように，フィリピンの流通に欠かせない零細小売業サリサリストアについて，零細小売業とは何であるのかを営業目的，零細小売業の保護，存続理由，寡占的製造会社との関係から検討した。その中で，零細小売業は「事業規模が零細」，「事業主と家族の生計費の獲得」を目的とし，「経営組織は事業主とその家族によって維持される」，「経営と家計が未分化である」ことが特徴づけられた。また寡占的製造会社が市場のすみずみまで商品を行きわたらせるためには，消費者に商品の存在を認知させ，消費者に近接して多数に散在する零細小売業は，重要な存在であることが明らかとなった。

　特に，フィリピン全土どこにでもある零細小売店サリサリストアは，交通インフラが不十分な中，店主にとっては生計手段として，また消費者にとっては日用品や飲食料品の調達場所として重要であることが確認できた。

第5章　農漁村のサリサリストア

はじめに

　前章までの先行研究や資料データ等から，零細小売店サリサリストアがフィリピンでの消費活動に大きな役割を果たし，流通チャネルの中でフィリピン全土の隅々にまで生活物資を供給する重要な役割を果たしていることがわかった。サリサリストアという小売店を研究することは，フィリピンのBOP市場における流通と消費の実態を解明することにつながると考える。しかし，サリサリストアで取り扱われている商品の流通，仕入れや販売方法，消費者の購買力について詳細に調べた研究は見当たらない。そこで，第5章，第6章ではサリサリストアの実態について現地調査より明らかにしていく。

1. 調査概要

　本章では農漁村のサリサリストアについて，サリサリストアの店主や来店客，サプライヤーにインタビュー調査等を実施した結果から記述している。調査地域は下記の通り農漁村として典型的なルソン島の3地域，サマール島の1地域，レイテ島の1地域である。それぞれの地域では①方言で話されていること，②現地出身者は地域のことをよく知っていること，③インタビュー対象者から警戒心をもたれづらくインタビューにこたえてもらいやすいことから，以下のように現地出身者にガイド兼通訳を依頼した。

Luzon, Cordillera Administrative Region（ルソン島イフガオ州）ラガウエ，
　バナウエ

Luzon, Cagayan Valley（ルソン島ヌエバビスカヤ州）：ソラノ

Luzon, Central Luzon（ルソン島パンパンガ州）：ポーラック

Eastern Visayas, Samar（サマール島 東サマール）：タフト，ボロンガン

Eastern Visayas, Leyte（レイテ島）：オルモック

図表 5-1　フィリピン国土の構成と調査地域

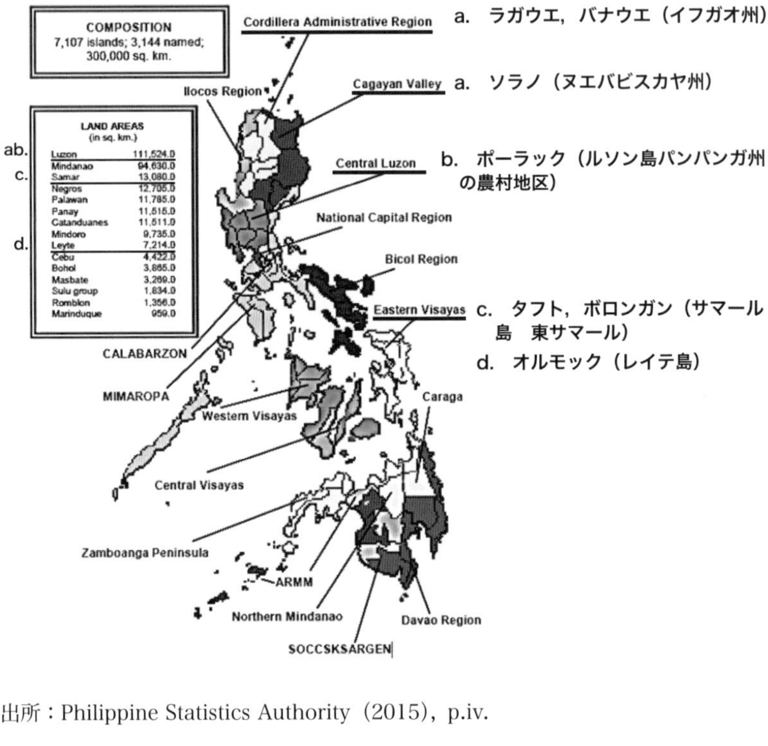

出所：Philippine Statistics Authority（2015），p.iv.

　既述したように，フィリピン農漁村の BOP 市場に着目してサリサリストア
を介した先行研究は見当たらない。そのため本調査結果から BOP 市場獲得の
ための方策を導き出すことを最終目的とした。調査概要は下記の通りである。

図表 5-2　調査概要

1.　調査内容	(1)サリサリストアと取扱商品の把握（商品仕入・販売方法等含む）
	(2)フィリピン庶民の生活や多国籍企業商品の浸透具合の理解
	(3)サリサリストアを介したチャネル構造の把握
	(4)山岳地帯における加工飲料食品卸売業の役割や機能の解明
2.　調査方法	店内・店外の観察 店主・来店客・サプライヤーへのインタビュー
3.　調査日	a. 2015 年 8 月 11 日（火）　～　2015 年 8 月 24 日（月）　ラガウエ, バナウエ, ソラノ
	b. 2012 年 3 月 20 日（火）　～　2012 年 3 月 21 日（水）　ポーラック
	2012 年 9 月 3 日（月）　～　2012 年 9 月 4 日（火）　ポーラック
	c. 2012 年 8 月 13 日（月）　～　2012 年 8 月 20 日（月）　タフト, ボロンガン
	d. 2012 年 8 月 7 日（火）　～　2012 年 8 月 25 日（土）　オルモック
4.　調査場所	a. ラガウエ, バナウエ（イフガオ州）・ソラノ（ヌエバビスカヤ州）
	：（ルソン島北部山岳地帯）　　　　　　　　　30 店舗
	b. ポーラック（ルソン島パンパンガ州の農村地区）　45 店舗
	c. タフト, ボロンガン（サマール島 東サマール）　68 店舗
	d. オルモック（レイテ島）　　　　　　　　　　16 店舗
5.　対象者	サリサリストア店主 159 人, サリサリストア来店客　3 人, サプライヤー　　　　　2 人

　図表 5-2 にみられるように，調査内容はインタビュー票（本書の巻末に添付）のように，サリサリストアと取扱商品の把握（商品仕入・販売方法なども含む），フィリピン庶民の生活や多国籍企業商品の浸透具合，サリサリストアを介したチャネル構造，山岳地帯における加工飲料食品卸売業の役割や機能を明らかにすることにある。調査方法は店内・店外の観察，サリサリストア店主へのインタビューが中心である。2012 年から 2015 年に実施した。

2. 本調査によるファクト・ファインディングス

　各地域の調査結果は以下の通りである。

(1) ラガウエ，バナウエ（イフガオ州），ソラノ（ヌエバビスカヤ州）

　ルソン島山岳地帯にある。マニラから北にバスで 8 時間程度かかる。この地域では計 32 人にインタビューを実施した（図表 5-3）。

82

図表5-3　インタビュー調査の概要＜於：ラガウエ，バナウエ，ソラノ＞

インタビュー調査の対象	人数	性別，年代
店主	30人	女性22人　男性8人，20代〜60代
サプライヤー	2人	男性，20代，40代

1）サリサリストアの特性，取扱商品と仕入・販売方法

　ラガウエ，バナウエ，ソラノにあるサリサリストア店主やサプライヤーのインタビュー結果からまとめた。

①特性（フェースシート）

　この地域のサリサリストアは20代〜60代の女性店主22人と男性店主8人による経営であり，開業目的は家計の補助や自営のためである。開業資金は3,000〜200,000ペソと幅があり，貯蓄や家族などからの借金を充当している。店主はカレッジを卒業している者が多く家業として取り組んでいる。サリサリストアの開店時間は午前8時から午後6時までが多く，人通りの多いターミナル駅（バスや地元の乗り合いバスであるジプニー）や公設市場付近に多くみられる。

②取扱商品

　取扱商品は食品や飲料，日用雑貨である。

③仕入・販売方法

　商品の調達先は，主に地域の公設市場，大型サリサリストア，製造会社のサプライヤー，または生産者との直取引である。ラガウエ中心部のみ，スーパーマーケット2店舗があり，近隣で営業するサリサリストアの仕入先となっていた。山岳地帯では大型サリサリストア，中小型のサリサリストアをみることができた。この規模別分類は，サリサリストアを観察した結果から筆者が従業員数別に定めている。大型サリサリストアは従業員5〜9人，中型サリサリストアは従業員3〜4人，小型サリサリストアは従業員2人以下である[208]。

　生鮮食品は生産者との直取引や市場からの仕入れによるが，その他は製造会

---

[208] 現在のサリサリストアの小規模店という特性上，大型・中型・小型で1〜2人の差しかなく，変動があれば区分が変わる可能性がある。

社のサプライヤーが大型サリサリストアを中心に納品し，中小型サリサリストアは大型サリサリストアにそれを仕入れに行く。例えば，シャンプーや石鹸などの日用品や加工飲料食品，菓子類等である。1ダースもしくは大袋で納品された商品をサリサリストア店主は店頭で小分けして販売する。

　サプライヤーからの商品の仕入れは，この地域では1社につき月2回程度である。サプライヤーによっては棚の配荷と陳列を請け負っており，担当商品が来店客の目にとまり購入されやすくしている。

　サリサリストアの売上は1か月当たり最大80,000ペソであり，職業選択の幅が狭い山岳地帯の職業としてはよい収入源であろう。

2）フィリピン庶民の生活と多国籍企業商品の浸透

　ルソン島北部山岳地帯は，農家やトライシクル運転手が主な職業である。買い物場所は近隣の公設市場，サリサリストアであり在住者が頻繁に買い物をするのはサリサリストアである。多国籍企業の商品について品質などよい印象をもつ一方で，入手しづらいとの声を多く聞いた。

3）サリサリストアを介した流通チャネル

　バナウエ，ソラノでは，近代的小売業であるショッピングモールやスーパーマーケット，コンビニエンス・ストア等はみられなかった。大小様々のサリサリストアや市場から成り立っており，そのため，仕入先も必然的に伝統的小売業となる。

4）山岳地帯における卸売業の役割や機能

　農漁村の中でも特に交通機関などインフラが未発達な山岳地帯では，どのような流通構造をもつのか把握していく。特に加工飲料食品を取り扱う卸売業の役割と機能について明らかにする。

①流通チャネル

　図表5-4は山岳地帯における加工飲料食品の流通チャネルについて，サリサリストアに焦点をあてまとめたものである。分析にあたって用いるサリサリストアの規模は，従業員数別で区分した。商品流通には以下の①，②のように2パターンがある。①製造会社→販売会社／販売代理店／特約店→大型サリサリ

図表 5-4　山岳地帯（ルソン島北部）の卸売構造（加工飲料食品）

地域	商品の流れ	商品例
山岳地帯	①製造会社→販売会社 / 販売代理店 / 特約店 →**大型サリサリストア**→中小型サリサリストア	加工飲料食品（Fresca, Delmonte, Yakult, ネスレ）
	②製造会社→販売会社 / 販売代理店 / 特約店 →大中小型サリサリストア	加工飲料（コカ・コーラ, サンミゲル）

出所：筆者作成。

ストア→中小型サリサリストアの順に納入される。②販売会社もしくは販売代理店や特約店から大中小型サリサリストアへ納入される。②については，コカ・コーラやサンミゲルなど飲料水の納入に関わるパターンである。

　山岳地帯における商品流通をみると，加工飲料食品が販売会社や販売代理店，特約店から大型サリサリストアに直接，搬入される①のタイプである。加工飲料についてはサリサリストアの規模を問わず販売会社，販売代理店もしくは特約店から搬入される②のタイプである。

②山岳地帯における卸売業の役割と機能

　図表 5-5 のように山岳地帯の特徴として大型サリサリストアの中小型サリサリストアへの卸売業的役割が大きいことがあげられる。インフラが発達していないため，商品の獲得は都市部に比べて困難である。そのため，大型サリサリストアは物流機能の役割が強い。大型サリサリストアは製造会社から販売会社 / 販売代理店 / 特約店を経由した商品運搬先となり，中小型のサリサリストアに商品を再販売する卸売的役割を果たしている。また販売会社や販売代理店，特約店が好まない後払いを認めるなどの助成機能（金融）をもっている。

図表 5-5　販売会社，大型サリサリストア，特約店の機能

商流機能	対生産者の販売活動に対する支援，小売業者・業務用使用者の仕入・購買，品揃形成に対する支援，リテールサポート，卸売段階での価格形成など
物流機能	多数の生産者から多数の小売業者・ユーザーへの集荷・数量調整・分荷・小分け，在庫保管，輸・配送，流通加工など）
情報流通機能	生産者と小売業者・ユーザーに対して，取扱商品，新商品，価格，消費者，競争者に関する情報の収集と提供活動など）
助成機能	金融，危険負担，人材派遣，コンサルティングなど

出所：田口（2011），pp.102-103 をもとに作成。

　山岳地帯における卸売業の機能をみていくと，共に図表5-5で分析した商流機能，物流機能，情報流通機能の役割を果たしていることがわかる。なお，助成機能（金融）の役割もある。参考までに山岳地帯では，雑貨や電化製品はマニラ首都圏にある中華問屋街（ディビソリア）で購入され，トラックで運搬し，再販売される。食品は，ルソン島内のバギオやマニラ首都圏から運ばれるものもある。

　次に山岳地帯のイフガオ州バナウエにて大型サリサリストアを観察調査した結果を述べる。販売会社や販売代理店から，大型サリサリストアに写真①のように商品が納入されると下記写真②のようにサイドカー付きバイクに乗った近隣の中小型サリサリストアのオーナーや従業員が商品を仕入れに来る。

①大型サリサリストアへの納入

②サイドカー付きバイクで商品を仕入れに来店

　コカ・コーラについては，大型トラックではなく③のように販売会社や販売代理店によるサイドカー付きバイクが直接商品を搬入する。大型サリサリストアだけでなく，中小型のサリサリストアに直接商品を届けるとともに，空き瓶を回収していく。

　山岳地帯では大型サリサリストアの中小型サリサリストアへの卸売業的役割が

③サイドカー付きバイクによる商品の搬入

大きい。なぜならインフラが発達していないため，商品の獲得は都市部に比べて困難であり，大型サリサリストアは物流機能の役割が強い。また販売会社や販売代理店，特約店が好まない後払いを認めるなどの助成機能（金融）の役割も強い。

（2）ポーラック（ルソン島パンパンガ州）

　農村地帯であるポーラックは，マニラから北に向かって，バスとジプニー[209]を乗り継ぎ3時間程度かかる。この地域にあるピナツボ山の噴火は1991年6月12日と15日に起きた。火山灰は70億立方メートル噴き上げ，1万ヘクタールの農場と家を埋めたという。火山灰はセメントの材料となるため，今ではセメントの産地となっており，州外から出稼ぎに訪れる者も多い。

　この地域では計48人にインタビューを実施した（図表5-6）。

図表5-6　インタビュー調査の概要　　＜於：ポーラック＞

インタビュー調査の対象	人数	性別，年代
店主	45人	女性39人・男性6人 20代～60代，80代，90代
来店客	3人	女性，20代～40代

1）サリサリストアの特性・取扱商品と仕入・販売方法

①特性（フェースシート）

　この地域のサリサリストアは8割以上が20代～60代の女性店主による経営であり，開業目的は家計の補助や自営のためである。開業資金は5,000～

---

[209] ジープを改造した乗り物。移動手段として人々の生活に欠くことができない。

30,000 ペソと幅があり，貯蓄を充当している。マニラ都市部よりも店主の年齢が高く，開業資金も高い。店主はハイスクールやカレッジを卒業している。マニラ都市部とは違い，農漁村部では農家で早朝から働く人も多く，サリサリストアの開店時間は午前4時や5時など朝早くから営業している。

②取扱商品

取扱商品は食品や飲料，日用雑貨である。

③仕入・販売方法

この地域のサリサリストアは，商品の調達先がポーラックの公設市場，スーパーマーケット（Dansa），大型サリサリストア，または生産者との直取引である。生鮮食品は生産者との直取引や市場から仕入れ，スーパーマーケットでは個装パッケージの日用品やインスタント食品,菓子類を仕入れる傾向がある。シャンプーやコーヒーなどの少量使い切りパッケージは,1ダース単位で,キャンディーなどは，まとめてケースで仕入れる。市場や小売店からの商品の仕入頻度は1日1回から週1，2回までと，店舗によって異なる。小売店とサプライヤーからの仕入額はそれぞれ1週間当たり1,000～10,000ペソと幅があり，決済方法はその場で現金による支払い、もしくは15日後の後払いである。サプライヤーからの搬入は週1回～月1回程度あった。

市場から離れたサリサリストアには，ペプシ（Pepsi）の販売代理店が直接，飲料を配達している。某サリサリストアの場合，仕入額は1週間当たり1,000ペソである。市場近くでは,ペプシのドリンクではなくコカ・コーラ(Coca-Cola)が取り扱われており，どのサリサリストアの入り口にもコカ・コーラのポスターが貼ってあった。売上は，店舗によって，1日当たり100～2,000ペソまでの幅があった。来店客との取引は現金払いであるが掛け売りもおこなう。市場から離れた場所に位置するサリサリストアにはフィリップ・モリスのポスターが貼ってあり,これは店主が市場に仕入れに行ったときに出入口でフィリップ・モリスの関係者が販売促進ツールとして配布していたものだ。

2）フィリピン庶民の生活と多国籍企業商品の浸透

ポーラックにあるサリサリストア来店客のインタビュー結果を整理すると，

買い物場所は近隣の公設市場（Porac），スーパーマーケット（Dansa），サリサリストア，コンビニエンス・ストアである。頻繁に買い物をするのはサリサリストアである。調査に応じてくれたのはデイケア[210]教師と主婦であった。デイケア教師の収入は1か月当たり 4,000 ペソであった。1日当たりのサリサリストアでの購入金額は 120 〜 300 ペソであって，食品，調味料，日用品を購人している。馴染みのある多国籍ブランドは，パンテーン（Pantene），ミロ（Milo），リジョイス（Rejoice），ヴァセリン（Vaseline），セーフガード（Safeguard），コルゲート（Colgate），ダヴ（Dove），クリームシルク（Cream Silk），ポンズ（POND'S），ネスレ（Nestlé），サムスン（Samsung）である。品質についてはよい印象をもつ一方，価格が高いため，生活は便利になるが本当に必要というわけではないという。

(3) タフト，ボロンガン（サマール島 東サマール）

タフト，ボロンガン地域は山々に囲まれた農村地帯である。マニラから南に向かって，バスと船を乗り継ぎ1日かかる。これら地域はマニラからのバスの終点目的地でもあり，東サマールの中では比較的人口が多く市場もみられる。ここではサリサリストア店主 68 人にインタビューを実施した（図表 5-7）。

図表 5-7　インタビュー調査の概要　　＜於：タフト，ボロンガン＞

インタビュー調査の対象	人数	性別，年代
店主	68 人	女性 62 人・男性 6 人，　20 代〜 80 代

1）サリサリストアの特性・取扱商品と仕入・販売方法

①特性（フェースシート）

東サマールにあるサリサリストア店主のインタビュー結果を整理すると，この地域のサリサリストアは9割以上が 20 代〜 80 代の女性店主による経営であり，開業目的は家計の補助が多い。店舗は平屋建て一軒家の一部分を使用している。店主は，大学卒が少ない地域でありハイスクール卒の者が多い。

---

[210] 小学校入学前におこなう一年間の幼児教育。2013 年より義務化され、基礎的な読み書き、特に英語に力を入れた教育をおこなっている。

②取扱商品

取扱商品は食品や飲料，日用雑貨である。

③仕入・販売方法

　商品の調達先は，タフトの公設市場やタクロバンのストア，自店よりも大きなサリサリストア，または農家との直取引である。隣の島であるレイテ島のタクロバンには週 1 回程度，東サマールからサリサリストア店主や従業員が仕入れに出かけている。支払方法は現金払いもしくは小切手等である。サプライヤーがサリサリストア（顧客）にタクロバンから来店しタバコ，ユニリーバなどのシャンプーや石鹸，イワシの缶詰などを毎週トラックで配達するケースもあれば，サリサリストア（顧客）が発注して自らが仕入先に商品を取りに行くケースもある。これはサリサリストア（顧客）の購入金額や取引の長さなどによる。購入金額が大きく，これまでの取引期間が長ければ，支払条件やデリバリーの面で優遇を受けられる。

　サリサリストア（顧客）の支払方法は購入時に現金払いの場合が多い。馴染みの顧客に対しては，価格交渉にも応じる。売上は 1 週間当たり 5,000 ペソ程度の店舗が多い。

2）フィリピン庶民の生活と多国籍企業商品の浸透

　10 代後半〜 50 代の人々は，台風が多く農業もしづらいこの地域を離れて，セブやマニラなどの都市に出稼ぎに行く者も多い。ネスレやユニリーバの商品は浸透しているが，フィリピン国内の商品と認識している者も多い。缶詰などは輸入品がある。

(4) オルモック（レイテ島）

　レイテ島にある農村地帯である。マニラから南西に向かって，バスと船を乗り継ぎ 1 日半かかる。この地域では計 16 人にインタビューを実施した（図表 5-8）。

図表 5-8　インタビュー調査の概要　＜於：オルモック＞

インタビュー調査の対象	人数	性別，年代
店主	16 人	女性 15 人・男性 1 人，　20 代〜 60 代

1）サリサリストアの特性・取扱商品と仕入・販売方法

①特性（フェースシート）

　この地域のサリサリストアは男性1人以外の15人が20代〜60代の女性店主による経営であり，開業目的は家計の補助や自営のためである。店舗は平屋建てで住居の一部にある。場所は海岸近くの国道沿い，住宅街，小学校の近くなどに立地している。インタビューした中にはバランガイ（最小自治地区）リーダーもおり，近所に商品を供給すること，後払いで商品を販売しており福祉的役割を兼ねていること，近所の人々との社交場でもあるとの話を聞いた。

②取扱商品

　取扱商品は食品や飲料，日用雑貨である。

③仕入・販売方法

　仕入れは農家との直取引またはサプライヤーからの配達で，配達は週1回から月1回程度である。商品は飲料，タバコ，香辛料などで，支払いはほぼ現金払いであるが後払いが認められている店舗もある。店主が商品を仕入れるのはガイサノショッピングモールなどで週2回程度であり，現金もしくはクレジットカード，小切手で購入している。

　商品は個装パッケージでサリサリストアの消費者には販売をしている。1日当たり1,000〜2,000ペソ程度の売上があるストアが多く，家計の補助的役割を果たしている。

2）フィリピン庶民の生活と多国籍企業商品の浸透

　外国や都市部に家族が出稼ぎに行っているケースが散見された。品質に関心はあるが，高価なため取り扱っていないとの回答が多かった。プロクター・アンド・ギャンブル（P&G）のおむつを取り扱いたいとの希望も聞いた。

3. 農漁村のサリサリストアの特徴

（1） サリサリストアの特性・取扱商品と仕入・販売方法

　サリサリストアで販売される商品の多くは，サリサリストアの店主が生産者と直に取引するか，市場や卸事業者や地元のスーパーマーケットである SM シューマート[211] などから仕入れるか，農家との直取引である。つまり，地理的に店主が仕入れに行ける範囲にあり，仕入可能な金額であること，そして，サリサリストアの店舗に並べるときにバラ売りできることが重要である。

　農村地域ポーラックでは，小売店とサプライヤーからの仕入額はそれぞれ 1 週間当たり 1,000 ～ 10,000 ペソである。決済方法はその場で現金による支払い，もしくは 15 日後の後払いである。またオルモック（レイテ島農漁村地域）では 1 日当たり 200 ～ 5,000 ペソ，東サマール：タフト，ボロンガン（サマール島農漁村地域）では 1 日当たり 100 ～ 10,000 ペソの仕入額であった。

　図表 5-9 のように，サリサリストア仕入時の支払方法は，農漁村地域では後払いもしくは現金払いが主である。飲料については，飲料製造会社の販売代理店がサリサリストアに直接出向いて商品を置いてもらえるよう積極的にプロモーションをしている。空き瓶の回収については，農村地区のポーラックでは販売代理店が回収する場合と町のスーパーマーケットにサリサリストア店主が車で置きにいく場合の 2 パターンがあった。

　図表 5-10 のように，来店客の支払方法は 30 日以内の後払いもしくは現金

図表 5-9　サリサリストア仕入時の支払方法

商品	農漁村地域
飲料	後払い
日用品，加工飲料食品	後払い，現金

出所：筆者作成。

図表 5-10　来店客の支払方法

商品	農漁村地域
飲料	後払い，現金
日用品，加工飲料食品	後払い，現金

出所：筆者作成。

---

[211] フィリピン各地にある大店舗をもつ有名なローカルスーパーマーケット。大量多品種の商品を格安で販売する。SM の略称で呼ばれることも多い。

払いであった。農村では近隣に親戚が多いことや長年その地域で暮らしていることから，後払いであっても支払ってもらえるという安心感があるのであろう。農産物の収穫時期まで支払いを待ってもらう，海外出稼ぎ者がいる家族の場合は，送金時まで支払いを待ってもらうという方法も取られている。

(2) フィリピン庶民の生活と多国籍企業商品の浸透

　サリサリストアの売上は店舗によって幅があり，農村地域ポーラックでは，1日当たり100 〜 2,000 ペソ，オルモック（レイテ島農漁村地域）では1日当たり200 〜 10,000 ペソ，東サマールにあるタフトとボロンガン（サマール島農漁村地域）では1日当たり100 〜 10,000 ペソの売上であった。 店舗サイズによっても幅がみられるが，各店舗に1日10人以上の来店客があり1人につき5 〜 100 ペソ程度の商品を購入する。

　どの店舗に行っても，同種の多国籍企業商品をサリサリストアの店頭でみることができ，インタビュー調査においても多国籍企業商品が日常生活に浸透していることが分かった。しかし，東サマールやポーラックの農村では1店舗当たりの面積が小さく，また商品の取り扱い数も少なかった。

(3) サリサリストアを介した流通チャネル

　サリサリストアの店主やサプライヤーへのインタビュー調査から，サリサリストアを経由して最終消費者の手に届くまでの流通チャネルは図表3-1の「Rangan によるチャネルの形態」をベースに，以下の7パターンが見出された。サリサリストアでは農産物も扱っているが，ここでは外国企業が参入している日用品や加工飲料食品の流通チャネルのみ取り上げた。

　サリサリストアは図表5-11のように製造会社や量販店，市場と最終消費者との仲立ちをする役割をもつ。またサリサリストアの店主は自店舗より規模の大きい小売店から商品を仕入れてバラや少量パックに分けて販売する。

　BやB′ パターンは製造会社を経てから小売に搬入される。CやC′ パターンは製造会社から販売代理店を経由して小売に搬入される。DやD′，D″ パター

図表5-11　サリサリストアを介する流通チャネル（日用品，加工飲料食品）

B	製造会社→小売（サリサリストア）→最終消費者
B′	製造会社→小売（量販店→サリサリストア）→最終消費者
C	製造会社→販売代理店→小売（サリサリストア）→最終消費者
C′	製造会社→販売代理店→小売（量販店→サリサリストア）→最終消費者
D	製造会社→卸売／販売会社→小売（サリサリストア）→最終消費者
D′	製造会社→卸売／販売会社→小売（量販店→サリサリストア）→最終消費者
D″	製造会社→卸売／販売会社→小売（市場→サリサリストア）→最終消費者

出所：舟橋（2013）に加筆修正。

ンは製造会社から卸／販売会社を経由して小売に搬入される。

　小型のサリサリストアは，自店舗よりも大きなサリサリストアから商品を仕入れる傾向にあるが，直接，市場やスーパーマーケット，卸売，製造会社の販売代理店から商品を仕入れることもある。また他のサリサリストアと商品を交換して融通し合うこともある。

　消費者が購入するまでに経る段階が多いほど，仲介業者のマージンがかかるため価格が上がっていく。サリサリストアを頻繁に利用するBOP層は商品を入手するまでの流通ステップが多いため，必然的に商品の価格が高くなる。しかし，サリサリストアでは必要量だけバラで買うことができるため，日々稼いだ収入で必要なものを入手することができる。サリサリストアで販売される商品の多くは，サリサリストアの店主が市場や卸売，地元のスーパーマーケット等から仕入れる。つまり，地理的に店主が仕入れに行ける範囲にあり，仕入可能な金額であること，そして，サリサリストアの店舗に並べるときにバラ売りできることが重要である[212]。

　大都市近辺の工場で生産された商品はトラックで，そして，島と島の間においてはフェリーで運搬されて各都市に届けられる。農漁村地域には最寄りの都市から卸売業者や販売代理店を介してトラックで商品が運搬される。農漁村地域の比較的大きなサリサリストアの場合は，店主や従業員が自ら近隣都市まで仕入れに行くこともある。

---

[212] 舟橋（2011a），p.52。

(4) 山岳地帯における加工飲料食品卸売業の役割や機能

　山岳地帯で卸売の役割を果たすのは販売会社，販売代理店，特約店であり，また大型サリサリストアは小型サリサリストアへの卸売的役割を果たしている。商品の流れには以下の①，②のように2パターンがある。①製造会社→販売会社/販売代理店/特約店→大型サリサリストア→中小型サリサリストアの順に納入される。②販売会社もしくは販売代理店や特約店から大中小型サリサリストアへ納入される。山岳地帯における商品の流れをみると，山岳地帯では加工飲料食品が販売会社や販売代理店，特約店から大型サリサリストアに直接，搬入される。加工飲料については山岳地帯，都市部，サリサリストアの規模を問わず販売会社，販売代理店もしくは特約店から搬入される。

　山岳地帯の特徴として大型サリサリストアの中小型サリサリストアへの卸売業的役割が大きいことがあげられる。インフラが発達していないため，商品の獲得は都市部に比べて困難である。そのため，大型サリサリストアは物流機能の役割が大きい。大型サリサリストアは製造会社から販売会社/販売代理店/特約店を経由した商品運搬先となり，中小型のサリサリストアに商品を再販売する卸売的役割を果たしている。また販売会社や販売代理店，特約店が好まない後払いを認めるなどの助成機能（金融）をもっている。

　山岳地帯における卸売業の機能をみていくと，図表5-5において分析した商流機能，物流機能，情報流通機能，助成機能の役割を果たしていることがわかる。

第6章　都市部のサリサリストア

　本章では都市商業地のサリサリストアについて，ルソン島マニラ首都圏のケソン市クバオとマカティ市，都市スラムにあるマニラ市トンド，レイテ島タクロバン市に焦点をあてる。

1. 調査概要

　本章では都市部のサリサリストアについて，店主や来店客，サプライヤーにインタビュー調査をおこなった結果について記述している。

図表6-1　フィリピン国土の構成と調査地域

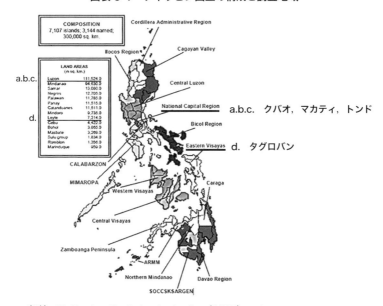

出所：Philippine Statistics Authority（2015），p.iv.

調査地域は下記の通りである。

Luzon, National Capital Luzon（ルソン島マニラ首都圏）
：ケソン市クバオ，マカティ市，マニラ市トンド
Eastern Visayas, Leyte（レイテ島）：タクロバン

　フィリピン都市部の BOP 市場に着目した，サリサリストアを介した商品流通や仕入・販売方法，BOP 層の購買力の実態を調べた先行研究は見当たらない。本調査結果から BOP 市場獲得のための方策を導き出すことを最終目的としたい。調査概要は下記の通りである。

図表 6-2　調査概要

1.　調査目的	(1) サリサリストアと取扱商品の把握（商品仕入・販売方法等含む） (2) フィリピン庶民の生活や多国籍企業商品の浸透具合の理解 (3) サリサリストアを介したチャネル構造の把握 (4) 山岳地帯における加工飲料食品卸売業の役割や機能の解明
2.　調査方法	店内・店外の観察 店主・来店客・サプライヤーへのインタビュー
3.　調査日	a. 2012年3月12日 (月) 〜 2012年3月24日 (土)　　クバオ b. 2015年8月19日 (水) 〜 2015年8月27日 (木)　　マカティ c. 2011年9月19日 (月)　　　　　　　　　　　　　トンド 　 2012年3月12日 (月) 〜 2012年3月17日 (土)　　トンド d. 2012年8月7日 (火) 〜 2012年8月8日 (水)　　　タクロバン
4.　調査場所	a. クバオ（ルソン島マニラ首都圏商業地域）　　　　　8 店舗 b. マカティ（ルソン島マニラ首都圏商業地域）　　　20 店舗 c. トンド（ルソン島マニラ・都市スラム　港湾不法占拠地）　5 店舗 d. タクロバン（レイテ島）　　　　　　　　　　　　5 店舗
5.　対象者	サリサリストア店主　38 人，サリサリストア来店客　20 人， サプライヤー　7 人

2. 本調査によるファクト・ファインディングス

(1) クバオ市・マニラ首都圏商業地域

典型的なフィリピン庶民の街で伝統的小売業の多い商業地域である。公営市場やショッピングモールなどが充実している。中流層が多く雑多な雰囲気がある一方で，クバオ市には富裕層が住む閑静で邸宅が立ち並ぶ住宅地もある。

今回はサリサリストアが多くみられる地区にて計 14 人（サリサリストア店主や来店客，サプライヤー）にインタビューを実施した（図表 6-3）。

図表 6-3　インタビュー調査の概要　　＜於：クバオ＞

インタビュー調査の対象	人数	年代，性別
店主	8 人	女性，10 代〜 50 代 内 7 人は仕入先や多国籍企業商品の印象についてのみ質問。
来店客	3 人	女性 1 人 20 代，男性 2 人 50 代
サプライヤー	3 人	男性，20 代〜 30 代

1）サリサリストアの特性・取扱商品と仕入・販売方法

①特性（フェースシート）

この地域のサリサリストアは 10 〜 50 代の女性店主による経営であり，開業目的は家計補助や自営ビジネスのためである。通常，朝 7 時〜夜 10 時ぐらいまで営業しているが，24 時間営業の店舗もある。

某サリサリストアの店主の場合，開業資金は銀行から調達しており，その運転資金は製薬会社などの民間企業が合同で出資している。またこの店主はカレッジ卒である。もともとは小規模なスーパーマーケットを家族で経営していたが，クバオは商業地域であるため，サリサリストアを開業するにはよい場所であると考え，スーパーマーケットを閉めて開業したという。他にクリーニング店やゼロックス・コピー店を営業し，アパートのオーナーでもある。

②取扱商品

取扱商品は食品や飲料，日用雑貨である。

③仕入・販売方法

サリサリストアの商品の調達先は，市場（Cubao），スーパーマーケット（SM
シューマート，ピュアゴールド），大規模なサリサリストアであり，生鮮食品は
市場で，スーパーマーケットでは日用品を仕入れる傾向がある。シャンプーや
コーヒーなどの少量使い切りパッケージは1ダース単位で，クラッカーやキャ
ンディーなどはプラスチックケースで仕入れる。仕入頻度は1日1回〜週1
回と店舗によって異なる。インタビューを実施した中規模店舗の場合，サプラ
イヤーからの搬入は1週間当たり2日あり，そのうち現金払いが50,000ペソ，
委託販売が月当たり200,000ペソである。市場での仕入れには現金で20,000
ペソ，後払いで1週間に1回10,000ペソであり，客への売上は1日当たり5,000
〜10,000ペソで現金払いである。

比較的大きなサリサリストア店舗には，サンミゲル，コカ・コーラ，ユニリー
バ，ネスレ，フィリップ・モリスの販売代理店が商品を配達していた。また各
製造会社の飲料製品を取り扱う卸売業がクバオにあり，サリサリストアから注
文を受けるとすぐに倉庫から配達していた。

2）フィリピン庶民の生活と多国籍企業商品の浸透

調査に応じてくれた人々（サリサリストアの消費者）は，通常，サリサリストア，
中古品取扱店，スーパーマーケット（SMシューマート）で買い物をする。サリ
サリストアを利用する人は毎日買い物をする。

調査に応じてくれた人々のうちの月当たり収入は，警備員は7,000ペソ，電
気工は10,000ペソ，ソーシャルワーカーは14,000ペソであった。家族数は1
〜6人で，食品やタバコを現金払いで購入する。1日の購入額は100〜600ペ
ソである。馴染みのある多国籍ブランドは，バルブやねじ（ブランドは不明である
が中国産），ノキア（Nokia），富士通（Fujitsu），カシオ（CASIO），アディダス（Adidas）
である。中国産のバルブやねじは，価格が妥当でよい品質のため業務に不可欠
である。

なお，外国企業の参入によって，フィリピン人に雇用の機会が生まれるため
外国企業はフィリピンに貢献しているという意見や,外国製品が導入されると，

長期的にみればフィリピン製品が廃れるため，多国籍企業商品が増えていくことに反対するという意見もあった。

(2) マカティ市・マニラ首都圏商業地域

　この地域は比較的富裕層が多い地域であり，マニラの中でも最も外国人が多い地域である。高層建築が多く，外資系企業や金融企業が集まるビジネス街や外国人が多い居住地，フィリピン人が多く住む地区がある。

　この地域は近代的小売業と伝統的小売業の両方から成り立っており，大型サリサリストアはみられず比較的小型のサリサリストアが密集していた。多くの外国人や富裕層が住んでおり，高級コンドミニアムが多くみられる地区ではサリサリストアはなく，コンビニエンス・ストアが散見される。逆にフィリピン人が多く住むアパートや一戸建て住宅がみられる地区においては，サリサリストアが乱立している。

　マカティ市では計 20 人のサリサリストア店主にインタビューを実施し，結果を整理した（図表 6-4）。

図表 6-4　インタビュー調査の概要　　＜於：マカティ＞

インタビュー調査の対象	人数	性別，年代
店主	20 人	女性 19 人・男性 1 人，20 代〜 60 代

1) サリサリストアの特性・取扱商品と仕入・販売方法

①特性（フェースシート）

　この地域のサリサリストアは，20 〜 60 代の，男性 1 人を除いて 19 人の女性店主による経営であり，開業目的は家計補助や自営ビジネスのためである。朝 7 時〜夜 10 時ぐらいまで営業している。

②取扱商品

　取扱商品は食品や飲料，日用雑貨である。近くには公設市場があり人通りが多く，子供用の文房具なども取り扱っている。

③仕入・販売方法

商品の調達先は，公設市場，スーパーマーケット（ショップワイズ，ピュアゴールド）である。飲料については10％ほどスーパーマーケットの価格に利益を乗せてバラで販売している。1ダース単位で，クラッカーやキャンディーなどはプラスチックケースで仕入れる。商品の仕入頻度は週1〜2回程度である。サプライヤーからの搬入は月2回で，サンミゲルブランドのビールやタバコが搬入されている。サリサリストア店主のサプライヤーや小売店への支払方法は現金払いである。

2）フィリピン庶民の生活と多国籍企業商品の浸透

多国籍企業商品は，高品質，値段が高いとのイメージをもっている。ネスレ商品などは外国ブランドであっても，国内商品と認識している店主も多く，商品が浸透している。

3）都市部の加工飲料食品卸売業の役割や機能

次にマニラ首都圏の中でも代表的な都市マカティ市の調査から卸売業の役割や機能についてみていきたい。マカティ市の調査によって第5章の農漁村の卸売業とは違った都市部の特徴が導き出される。

販売会社・販売代理店・特約店は，商流，特に対生産者の販売活動に対する支援，品揃形成に対する支援，卸売段階での価格形成についての機能が大きい。

ネスレでは品揃えやサイズは地域によって違いがある。都市部では多品種の商品を取り揃えており，かさが大きい商品も取り揃えている。サリサリストア向けの商業活動は，Availability（在庫），Visibility（見やすさ，陳列），Accessibility（入手しやすさ）に力をおいており，卸売業者にはサリサリストアの店頭管理も含めて，その一助となることを求めている。特に都市部では，頻繁に来店する卸売業者の役割が期待されている。価格については，定価を打ち出しており小売店では遵守するように指導している。また小売店の売上別に販売ルートをもっている。

商品の種類や競合会社も多いため，情報流通機能としての役割も大きく，新商品の紹介や競争者に関する情報の収集と提供活動などの機能も果たしている。

図表 6-5　販売会社，特約店，中規模サリサリストアの機能

商流機能	対生産者の販売活動に対する支援，小売業者・業務用使用者の仕入・購買，品揃形成に対する支援，リテールサポート，卸売段階での価格形成など
物流機能	多数の生産者から多数の小売業者・ユーザーへの集荷・数量調整・分荷・小分け，在庫保管，輸・配送，流通加工など
情報流通機能	生産者と小売業者・ユーザーに対して，取扱商品，新商品，価格，消費者，競争者に関する情報の収集と提供活動など
助成機能	金融，危険負担，人材派遣，コンサルティングなど

出所：田口（2011），pp.102-103 をもとに作成。

図表 6-6　都市部（マカティ市）の卸売構造（加工飲料食品）

地域	商品の流れ	商品例
都市部	製造会社 → 販売会社 / 販売代理店 / 特約店 →中型サリサリストア → 小型サリサリストア	加工飲料食品（Fresca, Delmonte, Yakult, ネスレ）
	製造会社 → 販売会社 / 販売代理店 / 特約店 →中小型サリサリストア	加工飲料（コカ・コーラ, サンミゲル）

出所：筆者作成。

　加工飲料食品は，都市部ではネスレなどが頻繁に小売店に直接，もしくは卸売を通して入荷している。またサリサリストアが量販店や市場で仕入れることも多く，中型サリサリストアは小型サリサリストアにとって在庫機能としての役割も果たしている。加工飲料については，サリサリストアの規模を問わず直接，卸売業者から納入される。

　図表 6-6 のように都市部における卸売構造の実態について，サリサリストアに焦点をあて，まとめた。分析に用いているサリサリストアの規模については，従業員数で区分している。この調査では，販売会社 / 販売代理店 / 特約店からの納入に絞っている。

　都市部の卸売の役割を果たすのは販売会社，販売代理店，特約店，中型サリサリストアがあげられる。①販売会社，販売代理店，特約店から中型サリサリストア，そして，小型サリサリストアへ，②販売会社，販売代理店，特約店から中小型サリサリストアへ納入の２パターンが見受けられる。②については，コカ・コーラやサンミゲルなどの飲料水の納入パターンである。また都市部で

は近隣の量販店や市場から直接，サリサリストアが仕入れることも多い。

　都市部における商品の流れをみると，ネスレなど製造会社の卸売業から小まめ
に配達される，もしくは量販店や市場でまとめてサリサリストアのオーナーが仕
入れており，サリサリストアは在庫機能を果たしている。加工飲料はサリサリス
トアの規模を問わず販売会社，販売代理店もしくは特約店から搬入される。都市
部では商品の種類や競合会社も多いため，情報流通機能としての役割も大きく，
新商品の紹介や競争者に関する情報の収集と提供活動などの機能も果たしている。

(3) トンド（マニラ・都市スラム　港湾不法占拠地）

　トンドは，フィリピンの首都マニラ北西部にあるパッシグ川の河口北側の人
口密集地帯にある。調査場所はスモーキーマウンテンⅡに属しており，メトロ
マニラの都市スラム・トンドにある港湾不法占拠地である。昼夜を問わずメト
ロマニラの廃棄物がトラックで運搬されており，多くの住民は，それら廃棄物
を分別してリサイクルショップに売ることで生計を立てている。NPO関係者[213]
によると調査を実施した地域は人口約1,000人に対して23店舗のサリサリスト
アが営業している。

　トンドで計26人（サリサリストア店主や来店客，サプライヤー）にインタビュー
を実施した（図表6-7）。

1）サリサリストアの特性・取扱商品と仕入・販売方法
①特性（フェースシート）

　この地域にあるサリサリストアは20～50代の女性店主による経営であり，

図表6-7　インタビュー調査の概要　　＜於：トンド＞

インタビュー調査の対象	人数	性別，年代
店主	5人	女性，20代～50代
来店客	17人	女性16人，10代～50代 男性1人，20代
サプライヤー	4人	女性1人，40代 男性3人，20代～30代

---

[213] 調査に協力していただいたNPO法人アクセス（ACCESS）

開業目的は家計補助や自営ビジネスのためである。開業資金は 300 〜 3,000 ペソと幅があり，貯蓄を充当している。店主はハイスクール [214] やカレッジ卒であって，サリサリストア店主はこの地域では高学歴である [215]。通常，朝 6 時〜夜 10 時ぐらいまで営業をしているが，夜間だけの営業や 24 時間営業の店舗もある。

②取扱商品

取扱商品は食品や飲料，日用雑貨である。

③仕入・販売方法

サリサリストアの商品調達先は，地元自治体が運営している公設市場（場所：Tondo, Divisoria, Quiapo），スーパーマーケット（SM シューマート，ピュアゴールド），比較的大きなサリサリストアであり，生鮮食品は市場で，スーパーマーケットでは個装パッケージの日用品やインスタント食品，菓子類を仕入れる傾向がある。そして，シャンプーやコーヒーなどの少量使い切りパッケージは，1 ダース単位で，キャンディーなどは 20 個ほど入ったケースで仕入れる。

商品の仕入頻度は 1 日 1 回〜週 1 回と，店舗によって異なり，仕入額は 1 日当たり 200 〜 300 ペソもしくは 1 週間当たり 20,000 ペソまでと幅があり，現金払いである。比較的大きなサリサリストア 1 店舗の場合，市場やスーパーマーケットから 1 週間当たり 10,000 ペソ程度の仕入れに併せて，飲料製造会社の販売代理店から搬入が週に 3 日おこなわれ，委託販売もおこなっている。この地域のサリサリストアの客への売上は 1 日当たり 150 〜 3,000 ペソで，現金払いである。

比較的大きなサリサリストアには，サンミゲルやコカ・コーラの販売代理店から 2 人 1 組で商品を配達していた。各販売代理店ともサリサリストアに搬入を直接，打診してきたという。

---

[214] フィリピンのハイスクールは，日本の中学・高校に相当しており，これまで小学校卒業後に 4 年間の教育を受けることになっていた。しかし，2012 年 6 月からはハイスクールは 6 年制に移行している。

[215] トンド地区の消費者インタビューでは，17 人中，カレッジ卒は 0 人，ハイスクール卒は 2 人，ハイスクール中退者は 6 人，小学校卒は 3 人，小学校中退者は 6 人であった。

インタビューに応じてくれたサンミゲルのサプライヤーは，サマール島生まれのトンド地区出身者で，小学校卒業後，この地域のスカベンジャー[216]やリサイクルショップの運搬係[217]を経て，現在の仕事に就いたという。1か月の給料は 7,500 ペソである。週2回，清涼飲料水やアルコール飲料をサンミゲルの販売代理店から依頼されて手押し車で配達する[218]。1回の配達量は合計 10 ケース，25 品目である。週2回の来店時には，サリサリストアが来店客に販売できた分だけ売上（4,000 ～ 8,000 ペソ）を集める。

コカ・コーラの販売代理店は，休日に関係なく電話があればいつでもサリサリストアに配達する。また来店時にサリサリストアが来店客に販売できた分だけ売上を受け取る。2011 年 9 月の調査時には，トンドの調査地域にコカ・コーラの販売代理店は入ってきておらず，サンミゲル商品だけがサリサリストアに配達されていた。なお，コカ・コーラは 2010 年にフィリピンを重要な市場と位置づけ，5 年にわたる投資によってブランドや販売代理店を増やす方針をとっている[219]。これがトンド地区にもコカ・コーラの新規販売代理店が入る原動力となったのであろう。

2）フィリピン庶民の生活と多国籍企業商品の浸透

トンドのサリサリストア消費者のインタビュー結果によると，トンド地区に住む人々は近隣の市場やサリサリストアで毎日（1回～数回）買い物をする。価格が安いため，スーパーマーケット（ピュアゴールド，SM シューマート）に週1回行くという人も 17 人中 2 人いた。調査に応じてくれた人々のうち収入は，チャコール製造会社（炭づくり）では 1 日当たり 50 ～ 150 ペソ，水売りでは 1 週間当たり 1,200 ペソ，スカベンジャーでは 1 週間当たり 900 ペソ，

---

[216] トンド地区のスモーキーマウンテンⅡには，マニラの各地域から集められた廃棄物が昼夜を問わず運びこまれる。
[217] 手押し車（リヤカー）で運搬する。
[218] 公道に通じる未舗装の道路を通って集落の出入り口まで，軽トラックで訪れる。それから先は車が通れない細い道になるため，手押し車（リヤカー）に荷物を積みかえる。
[219] The Coca-Cola Company, Press Releases
http://www.thecoca-colacompany.com/dynamic/press_center/2010/09/the-coca-cola-company-commits-new-investments-of-uslb-in-the-philippines/html（最終閲覧日：2011 年 11 月 10 日）。

他は主婦であった[220]。1 世帯数は 5 ～ 15 人であり[221]，1 日当たりの購入金額は 180 ～ 600 ペソの現金払いである。サリサリストアで購入するのは，食品，調味料，日用品である。

　馴染みのある多国籍ブランドは，プロクター・アンド・ギャンブル（P&G），セーフガード（Safeguard），ダヴ（Dove），クリームシルク（Cream Silk），ポンズ（POND'S），ネスレ（Nestlé），サムスン（Samsung），ユニリーバ（Unilever），パーモリーブ（Palmolive），SC ジョンソン，エイボン（Avon），味の素（AJINOMOTO）である。

　品質についてはよい，もしくは中庸という印象をもっているが，多国籍ブランドの多くは価格が安いとはいえないため，生活は便利になるが本当に必要というわけではないという。外国の商品は高価であると決め込んでいる人も多く，発売当初は価格が安くても，徐々に値上がりしていくという意見もあった。しかし，インスタント食品を取り入れることによって料理が簡単になった，紙おむつを使うことによって手間が減って便利になったという意見や，多国籍企業の商品が入ることで商品の選択肢が増え，海外に行かなくても外国食品を味わうことができるという意見が代表するように，多国籍企業の商品について概ね好印象をもっていた。

3）消費者の商品購入先

　地元のサリサリストアを中心に，市場，チャイナタウン，露店，もしくは行商人などから商品を購入する。スーパーマーケットは住まいから遠く，購入することはほとんどない。コンビニエンス・ストアに至っては商品が高いため皆無である。

---

[220]　参考までに露天商 2 人（串焼き売り，ハンバーガー屋）にもインタビューをした結果，串焼き売りの 1 日の売上は 600 ペソ程度である。そのうち売上の 6 分の 1 を串焼き売りが手にし，6 分の 5 はオーナーが手にする。ハンバーガー屋（自営）の 1 日の売上は 1,100 ペソで，材料費を差し引いた収入は 300 ペソである。

[221]　フィリピンの 1 世帯当たりの平均人数は 4.4 人である（2015 年調査）。
Philippines in Figures 2019, https://psa.gov.ph/sites/default/files/PIF2019_revised.pdf, p.21（最終閲覧日：2021 年 1 月 30 日）。

(4) タクロバン（レイテ島市街地）

タクロバンはフィリピン中部，レイテ島北東部の海岸にある港湾都市である。マニラの南東約580km に位置しており空港もある。

タクロバンにある20代〜40代のサリサリストア女性店主5人にインタビューを実施した結果を整理した（図表6-8）。

図表6-8　インタビュー調査の概要　　＜於：タクロバン＞

インタビュー調査の対象	人数	性別，年代
店主	5人	女性，20代〜40代

1) サリサリストアの特性・取扱商品と仕入・販売方法

①特性

サリサリストアの開業目的は家計補助や自営ビジネスのためである。店舗は平屋建て住居の一部を用いている。

②取扱商品

取扱商品は食品や飲料，日用雑貨である。

③仕入・販売方法

サリサリストアの商品調達先は，サプライヤー，スーパーマーケット（MY, Wilson），そしてガイサノショッピングモールである。サプライヤーからは月1回程度，タバコ，石鹸，リッカーなどを，スーパーマーケット（MY, Wilson）では，サリサリストアの店主が毎日もしくは月1回〜3回程度，ガイサノショッピングモールでは月1回程度仕入れ，決済方法はいずれも現金払いである。サリサリストアの客への売上は1人当たり300〜1,000ペソであり現金払いである。

2) フィリピン庶民の生活と多国籍企業商品の浸透

この地域では外国商品の取り扱いはなかった。

3. 都市部のサリサリストアの特徴

　都市スラムのサリサリストアでは，飲料製造会社の販売代理店による委託販売がおこなわれていた。商業地域においても食料品や嗜好品製造会社，飲料製造会社の販売代理店による委託販売がおこなわれていた（図表6-9参照）。

　飲料製造会社の販売代理店は，サリサリストアに直接出向き，商品を置いてもらえるよう積極的にプロモーションをしている。これには，飲料がかさばって重量があることや，空き瓶の回収をしてもらえることから，サリサリストア店主に歓迎されている。

　日用品，加工品については，サリサリストアの店主がスーパーマーケットや市場で仕入れることがほとんどである。

図表 6-9　サリサリストア仕入時の支払方法

	都市スラム	都市商業地域
飲料	委託販売	委託販売
日用品，加工飲料食品	現金	現金，後払い

出所：筆者作成。

　図表6-10のように，都市スラムや商業地域にあるサリサリストアでは，来店客の支払方法は現金払いであった。

図表 6-10　来店客の支払方法

	都市スラム	都市商業地域
飲料	現金	現金
日用品，加工飲料食品	現金	現金

出所：筆者作成。

　都市部においては人口の流動が大きく，顧客とサリサリストア店主との信頼関係が築かれていないこと，後払いにした場合，顧客の転居によって売掛金が未回収となる恐れがあるため現金払いが多いと思われる。第5章では農漁村のサリサリストアの店主やサプライヤーへのインタビュー調査から，図表

5-11 の流通チャネルが明らかになったが，本章の都市部のサリサリストア調査においても同様の流通チャネルがみられた。

第7章　製造会社におけるサリサリストアの役割

はじめに

　本章では，製造会社がフィリピン全土に広がるサリサリストアを事業の中でどのように活用しているのか，製造会社のサリサリストアを介したチャネルないしマーケティング戦略について考察していきたい。

　加工飲料食品の製造会社であるネスレ・フィリピン，サンミゲル・ブルワリー，フィリピン・ヤクルトを事例として取り上げる。これら3社の商品はフィリピンの都市部や農漁村において，小売店の規模にかかわらずどこでも販売されており，この3社の商品について知らない者は子供から大人まで年齢を問わず皆無であろう。この3社はフィリピンという新興国市場において，どのような戦略をもち，活動しているのであろうか。

　第1章でも少し検討したように，新興国市場では顧客の獲得だけを考えるのではなく，現地の人材を生かして企業活動をすることが必要であり，発想の転換が求められる。また新興国市場への参入にあたっては，利益獲得が可能な収入源や自社の競争優位をみつけることが強調されがちである。しかし，実際には多くの企業は新興国市場向けのビジネスモデルをつくり出すことができず，従来の国内市場モデルを踏襲しがちである。そのため，マージンが低いか，もしくは富裕層だけを顧客に限定しているため十分な収益をあげることができない[222]。というのも，西欧諸国の中間所得層にあたる層は，新興国市場においては一握りの富裕層だけだからである。多国籍企業は多くの消費者を理解しないまま，既存製品やマーケティング戦略を新興国市場に持ち

---

[222] Eyring, et al. (2011), p.89.

込んでいる[223]。

多くの多国籍企業にとって新興国市場への参入は，新しいカテゴリーの製品
やサービスの導入を意味しており，新しいカテゴリーの商品の導入は，実のと
ころ消費者意識を変える必要がないため簡単である。その一方で現地の嗜好や
習慣を反映する食品などは，無料サンプルの配布や有名人を起用した販促活動
のためにコストがかかっている[224]。

多くの企業は価格を下げることに力を注ぎがちであるが，低所得者層が経済
的に不安定な状態の中で生活していることを見落としている。少量販売や，後
払い，分割払いといった支払方法を考慮したほうがよいだろう。また消費した
量だけ支払うという方法をとるのもよい[225]。グローバル企業に対しても，消費
者はコストパフォーマンスに期待する。そのため，競争の激しい市場では，低
価格で製品やサービスを提供できる地元企業のほうが有利である[226]。その一方
で，新興国への参入企業は，低価格商品を提供するために，少量パッケージや
現地の低賃金労働者による生産，低コストの材料資源に依存している。また時
には製品を現地で開発する。しかし，基本的な利益の公式や操業モデルは既存
市場と同じままで[227]，新興国市場において大幅にシェアを広げるまでには至っ
ていない。このように，多国籍企業をはじめとする外国企業が新興国市場に参
入するにあたって多くの困難を伴うが，この新しい市場に対応するためには，
どのような方法が取られるべきであろうか。

ここでは，フィリピンにおける加工飲料食品の製造会社を事例に検討してい
きたい。

本章で取り上げる加工飲料食品の製造会社であるネスレ・フィリピン，サン
ミゲル・ブルワリー，フィリピン・ヤクルトのフィリピンの収益からみた企業
順位（2013 年）は図表 7-1 の通りである。ネスレ・フィリピンは，フィリピ

---

[223] Prahalad & Liberthal (1998), p.77.
[224] Ibid., pp.72-73.
[225] Karamchandani, et al. (2011), p.108.
[226] Ibid., p.72.
[227] Ibid., p.89.

ン全業種の中で収益順位はメラルコ（電機製造会社），ペトロン（石油），ピリピナス・シェル・ペトロリアム（石油），TI フィリピン（半導体製造会社）に続く第 5 位であり，飲料食品業界の中での収益では首位となる。

　ネスレ・フィリピンの本社はスイスにある多国籍企業で，世界最大の食品・飲料会社である。サンミゲル・ブルワリーは清涼飲料，洋酒，食品を扱っており，フィリピンでビール市場のシェア 90％をもつフィリピン企業である。サンミゲル・ブルワリーの母体であるサンミゲル・コーポレーションはもともと飲食料品を取り扱うフィリピンの代表的製造会社であったが，今では他業種をもつ多国籍企業でもある。フィリピン・ヤクルトは日本に本社をおくヤクルト本社のフィリピン事業所であり，フィリピンでは乳酸菌飲料「ヤクルト」を取り扱っている。

図表 7-1　フィリピンの加工飲料食品製造会社

(2013 年)

企業名	業種	収益 (P'000000)	収益順位 (全業種)	由来
ネスレ・フィリピン	飲料食品	105,968	5 位	スイス
サンミゲル・ブルワリー	ビール製造	62,170	18 位	フィリピン
ヤクルト・フィリピン	乳酸菌飲料	2,365	652 位	日本

出所：The Fookien Times Yearbook Publishing (2016), *Philippine Business and Government The Philippines Year Book 2015-2016*, Manila, p.80 より作成。
The Fookien Times Yearbook Publishing (2014), *Philippine Business and Government The Philippines Year Book 2013-2014*, pp.80-106 より作成。* ヤクルトは 2011 年データ。

　本章は，2011 年から 2015 年にかけてルソン島やレイテ島，サマール島にあるサリサリストアの店主や来店客，サプライヤーについて，9 地域，計 229 人にインタビュー調査を実施した結果をもとに，図表 7-2 の「Rangan によるチャネルの形態」をベースとし，外国企業が参入している図表 7-3 のような日用品や加工飲料食品の 7 パターンのチャネルのみを取り上げる。

　サリサリストアは，図表 7-3 のように製造会社や量販店，市場と最終消費者との仲立ちをする役割をもっている。またサリサリストアの店主は自店舗より規模の大きい小売店から商品を仕入れ，バラや少量パックに分けて販売してい

図表 7-2 Rangan によるチャネルの形態（第 3 章，図表 3-1 再掲）

A	供給業者（supplier）→ 最終消費者
B	供給業者 → 小売（retailer）→ 最終消費者
C	供給業者 → 販売代理店（agent）→ 小売 → 最終消費者
D	供給業者 → 卸売／販売会社（wholesaler/distributor）→ 小売 → 最終消費者

出所：Rangan（2006）p.15 をもとに作成。

図表 7-3 サリサリストアを介する流通チャネル
（日用品，加工飲料食品）（第 5 章，図表 5-11 再掲）

B	製造会社 → 小売（サリサリストア）→ 最終消費者
B′	製造会社 → 小売（量販店→サリサリストア）→ 最終消費者
C	製造会社 → 販売代理店 → 小売（サリサリストア）→ 最終消費者
C′	製造会社 → 販売代理店 → 小売（量販店→サリサリストア）→ 最終消費者
D	製造会社 → 卸売／販売会社 → 小売（サリサリストア）→ 最終消費者
D′	製造会社 → 卸売／販売会社 → 小売（量販店→サリサリストア）→ 最終消費者
D″	製造会社 → 卸売／販売会社 → 小売（市場→サリサリストア）→ 最終消費者

出所：舟橋（2013）に加筆修正。

る（舟橋，2013）。図表 7-3 のように日用品や加工飲料食品は，サリサリストアを介するチャネルに 7 パターンみられるが，3 社の製造会社ではどのようなチャネルがとられているか，以下で詳しく述べていきたい。

1. ネスレ・フィリピン

(1) ネスレ・フィリピンと現地調査の概要

　ネスレ・フィリピンは 1911 年に The Nestlé and Anglo Swiss Condensed Milk として設立された。1962 年にはサンミゲル・コーポレーションとの合弁によって現地生産が開始され，1986 年には Nestlé Philippines, Inc. に改名されている。Nestlé SA が 100％の出資をしており従業員は 3,700 人，事業は飲料，食品の製造・販売である[228]。

---

[228] 出所：Nestlé Philippines,Inc.,"History"
　http://www.nestle.com.ph/aboutus/history（最終閲覧日：2021 年 1 月 30 日）。
　http://www.nestle.com/aboutus/history/nestle-company-history（最終閲覧日：2021 年 1 月 30 日）。

　フィリピンでネスレの商品はフィリピン全土の都市部，農漁村，山岳地帯，スラムを問わず，どんな場所でも大小様々なストアによって販売されている。そのため，どのようなチャネルを経て商品が消費者に届くのかについて関心をもち，ネスレのチャネルを解明するため現地調査を実施した。概要は下記の通りである。なお，本調査は Nestlé Philippines, Inc. に協力を得た（敬称略）。

　ネスレ・フィリピンの営業推進部門に所属するマネージャーらにインタビューをおこない，その結果から分かったことを述べていきたい。

図表 7-4　調査概要

1.　調査目的	①フィリピンにおけるネスレ商品のチャネルの把握 ②サリサリストアを介した流通の把握
2.　調査方法	インタビュー，現地視察 ・Matignas, RyanJoseph, SDC, Sales Operations & Development Group ・Gozos, Darwin, Makati Sales Operations & Development Group ・Ramos, Neil Bryan, Makati, Channel Category Sales Development ・Bareng, Raul, Makati Sales-General Manager
3.　調査日	2013 年 10 月 14 日，2013 年 11 月 11 日
4.　調査場所	Nestlé Philippines, Inc.（フィリピン・マニラ首都圏）

(2) ネスレ・フィリピンのチャネル

　フィリピンには，バタンガスに 2 か所，ラグナとブラカンにそれぞれ 1 か所の工場がある。製品の製造後，North DC，South DC，カガヤン・デ・オロ

図表 7-5　ネスレ・フィリピンのチャネル（2013 年時点）

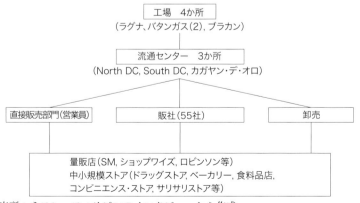

出所：ネスレ・フィリピンのインタビューから作成。

にある流通センターに配送され，その後，ネスレ・フィリピンの販売部門の営業スタッフや55の販売会社，もしくは一般卸売を経て量販店やサリサリストアに納入される（図表7-5参照）。

(3) ネスレ・フィリピンの販売促進部門と取引先

販売促進部門（Sales Operations & Development）では販売店や卸売部門の統括管理に指導をおこなう。サリサリストア向けの商業活動は，Availability（在庫），Visibility（見やすさ，陳列），Accessibility（入手しやすさ）に力をおき，サリサリストアに商品を納入する卸売業者にも協力を求めている。具体的にいうと，卸売業者は定期的に店舗を訪問し，在庫を切らさないよう小売店に商品の発注を促す。来店時には，ネスレの商品を店頭で一番目立つ場所に陳列するよう店主に依頼する。そして，商品を吊り下げる透明なビニールケースなど販促グッズを配布したり，価格については，定価を遵守するよう店舗指導をしている。

ネスレ・フィリピンの取引先には量販店などの近代的小売業とサリサリストアなどの伝統的小売業がある。図表7-6のように5,000ペソ以上の売上（1日当たり）をもつ店舗数は取引先全体の18％にすぎないが，ネスレ・フィリピンの売上全体の94％を占めている。逆に，5,000ペソ未満の売上（1日当たり）をもつ店舗数は取引先全体の82％であるが，ネスレ・フィリピンの売上全体の6％にしかならない。

ネスレ・フィリピンは，自社における近代的小売業と伝統的小売業の売上割合を明らかにしなかったが，このデータからは，取扱商品が多く，店舗規模の大きい近代的小売業が大きな売上シェアをもつと予想できる。しかし，その一方でネスレ・フィリピンは，近代的小売業だけでなく伝統的小売業も含む多くの小売店取引先をもっており，たとえ規模の小さいサリサリストアであったとしても，各店舗の売上を伸ばすことがネスレ商品の売上拡大につながっていくと考えている。

図表 7-6　ネスレ商品の納入先（小売店）と 1 日当たり売上

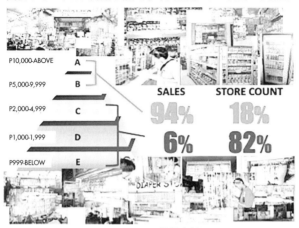

出所：ネスレ・フィリピンからの提供資料。

図表 7-7　ネスレ商品の小売店売上別営業方法

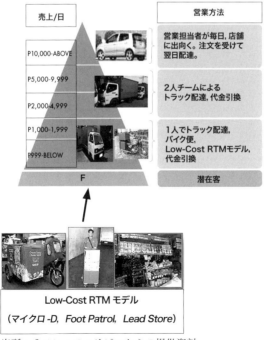

出所：ネスレ・フィリピンからの提供資料。

ネスレ・フィリピンでは図表7-7のように，1日の小売店売上によって営業担当者や商品の配送方法が変わるなど営業方法を変え，それぞれの店舗に効果的な販売戦略や確実な売上金回収を実施している。

①1日当たり10,000ペソ以上の売上をもつ量販店やサリサリストアなどの零細小売店については，ネスレ・フィリピンの販売促進部門の営業担当者，もしくはキーアカウントスペシャリストと呼ばれるネスレ・フィリピンから出向している販売会社のディストリビューターが毎日，担当小売店に出向いて注文を聞く。そして，注文を受けた商品を社内向け受注端末に商品と個数をインプットすると翌日には商品がトラックによって配送される仕組みになっている。

②1日当たり10,000ペソ未満の売上をもつサリサリストアなどについては，販売会社所属のダイレクトディストリビューターが小売店12万店舗をフォローし，③以下のように販売会社の倉庫から配送する。ネスレ商品を取り扱う小売店は，サリサリストアをはじめとして店頭にネスレ取扱店とのステッカーを貼っていた。

③1日当たり2,000-10,000ペソの売上をもつサリサリストアなどの小売店には，2人からなるチームが担当する。1人は営業担当者で，もう1人はトラックからの品出しを担当する。商品は代金と引換である。

④1日当たり2,000ペソ未満の売上をもつサリサリストアなどの零細小売店については，ルート営業（Route to market model）と呼ばれる1人で営業と配送（トラックもしくはバイク便）をする方法か，Low-Cost RTMモデル（Low-Cost RTM Models）と呼ばれる配送方法が取られている。商品はいずれも代金と引換である。少額な売上しかない小売店であっても店舗数が多いので，少しでも多くの店舗をカバーしようという戦略である。フィリピンでは中間層の割合が年々増えているため，それとともに来店客数を増やして将来の売上増を図っている。取り扱い店舗数を増やすということは，それだけネスレ商品に接する顧客が増えるということであり，店舗はネスレの認知度を高める宣伝広告の場でもある。マイクロD（Micro-D）

と呼ばれる自動二輪で移動するマイクロディストリビューターは，2009年にできた職務であり，サリサリストアなどの零細小売店 11 万 5 千店舗をカバーしている。またチャネルカテゴリー販売部門（Channel Category Sales Development）というチャネルを統括する販売部門があり，チャネル開発マネージャー（Channel Development Managers）がスタッフ（Channel Development Sales Staffs）を管理し，スタッフはマイクロディストリビューターを指揮している。自動二輪で入りづらい場所は，その土地在住の契約スタッフ（個人業者）がフットパトロール（Foot patrol）と呼ばれる台車で商品を運搬・販売する。特に 50 〜 300 ペソの売上をもつサリサリストアなどの零細小売店については卸売，個人業者が取り扱う代金引換販売（Cash and carry）の手法を取っている。

図表 7-8　全国共通の品揃え

Nescafé classic	2.0g
Nescafé classic	25.0g
Nescafé 3 in 1 original	20.0g
Nescafé 3 in 1 creamy latte	27.5g

出所：ネスレ・フィリピンのインタビューから作成。

　ネスレの品揃えやサイズは地域によるが，都市部では多品種をもっている。図表 7-8 は，全国共通で品揃えされているコーヒーの売れ筋商品である。一度に飲み切れる少量単位の商品であり，所得格差や地域を問わず全国のサリサリストアや露店，量販店でみることができる。数珠つなぎの少量パック商品が棚に置かれていたり，店頭の頭上から掛けられており，必要なパック数だけ点線の切りとり線から，ちぎる仕組みになっている。一方，都市部では量販店がみられ，少量単位の商品と共に大袋商品が置かれている。

(4) 本調査によるファクト・ファインディングス

　フィリピン全土に広がる零細小売業のサリサリストアに着目し，ネスレ・フィリピンのチャネルや販売方法について小売店売上別に取り上げた。そして，マカティ市にある本社でおこなった各マネージャーへのインタビューによって，

図表 7-9　サリサリストアを介するチャネル（ネスレ・加工飲料食品）

B	製造会社 → 小売（サリサリストア）→ 最終消費者
B´	製造会社 → 小売（量販店 → サリサリストア）→ 最終消費者
D	製造会社 → 卸売／販売会社→小売（サリサリストア）→ 最終消費者
D´	製造会社 → 卸売／販売会社→小売（量販店 → サリサリストア）→ 最終消費者

出所：ネスレ・フィリピンのインタビューから作成。

　図表 7-9 のようにネスレ・フィリピンのチャネルは 4 パターンあることが明らかになった。

　ネスレ・フィリピンは，サリサリストアなど少額な売上しかない小売店でも店舗数が多いため，少しでも多くの店舗をカバーしょうという戦略がみられる。取り扱い店舗数を増やすことが，ネスレの認知度を高めることにつながるため，サリサリストアなど小売店は宣伝広告の場でもある。さらに，現地の人々を活用した商品別で細やかなそれぞれのチャネルに対応した販売・運搬方法をもつこと，チャネルごとの売れ筋商品を理解することなども可能となった。これらはネスレ・フィリピンの長年にわたるフィリピンでの事業活動，そして，CEO をはじめとしてすべての従業員がフィリピン人であるという地域密着型の事業であることに由来するのであろう。

2. サンミゲル・ブルワリー

(1) サンミゲル・コーポレーション

　サンミゲル・コーポレーション（以下，SMC と表記）は，サンミゲル・ブルワリー（以下，SMB と表記）の親会社である。コファンコ財閥に属し，1890 年の会社設立（東南アジアはじめてのビール醸造所）から 130 年もの歴史をもつフィリピンの巨大企業である。

　SMC はマニラに駐在していたスペイン系ビジネスマン，ドン・エリンケによって設立されたアジアで最初の醸造所である。設立後間もなくスペイン系財閥の Ayala グループが経営に関与し，以降，アヤラの係累であるソリアノファミリーによって運営されてきた。1970 年代からコファンコファミリーがサンミゲルの

株式を徐々に取得している。サンミゲルは，フィリピンビールのナショナルブランドである。ビール事業の SMB は，キリンが 48.39％の株式をもつパートナーで，フィリピンのビール市場のシェア 90％を支配している。

　サンミゲルグループのコアビジネスは，食品，包装，燃料，石油，電力，そして，インフラの高度な統合事業と多様化しており[229]，製造拠点はフィリピン，香港，中国，インドネシア，ベトナム，タイ，マレーシアにある[230]。

　SMC は，買収による事業拡大を進めており多角化がみられる。海外事業は輸出⇒事業所設置⇒工場設置の順に進めてきた。古くから各種投資に注力しており，スペイン企業とライセンス契約を結んでサンミゲル商品の製造をするとともに，欧州・香港向けにビールなどを販売してきた。1997 年の金融危機以降は中国，インドネシア，ベトナムへ投資を増やし，2008 年以降はインフラ事業にシフトをしている。

　SMC は，石油精製，エネルギー，インフラ分野へと当初の飲料・食品とは全く異なる業態へ拡大中である。石油精製に関しては，2012 年にマレーシアのエッソ・マレーシア（買収後に社名をペトロンマレーシア・リファイニング＆マーケティングに改める）を約 700 億円で買収するなど，国際展開も積極的である。多角化の一方で，核とならないビジネスは積極的に売却している。かつて配電会社のメラルコやフィリピン航空の株式を保有していたこともあったが，現在では売却している。

　現在，既存のニノイ・アキノ国際空港（以下，NAIA と表記）の混雑緩和と機能補完を目指す新マニラ国際空港の建設を準備しており，マニラから北のブラカン州で土地造成工事を 2021 年に開始し，2024 年の完了を見込んでいる[231]。また新空港とは別に NAIA を引き継ぎ，運営・保守に関わると発表している[232]。

---

[229] San Miguel Corporation, "Our Company", https://www.sanmiguel.com.ph/page/our-company-inner（最終閲覧日：2021 年 1 月 30 日）。

[230] San Miguel Corporation, Our History, https://www.sanmiguel.com.ph/page/our-history（最終閲覧日：2021 年 1 月 30 日）。

[231] NNA ASIA,「新マニラ国際空港，1 ～ 3 月に土地造成開始」, https://www.nna.jp/news/show/2131192（（最終閲覧日：2021 年 1 月 30 日）。

[232] San Miguel Corporation, "Disclosures", https://www.sanmiguel.com.ph/files/reports/PSE-San_Miguel_eyes_take_over_NAIA_12.18_.2020_.pdf（最終閲覧日：2021 年 1 月 30 日）。

（2）サンミゲル・ブルワリー

　サンミゲルビールは世界のビールブランドのトップ 10 に入る。キリンは 2002 年に現在のサンミゲル・ブルワリー（以下，SMB と表記）の親会社であるサンミゲル・コーポレーション（以下，SMC と表記）に約 15％の投資をしている。SMC が多角化事業を進める中で，ビール部門を独立させ 2008 年に SMB として上場したが，2013 年に浮動株式比率が基準の 10％ を下回ったため自主的に上場を廃止，現在も非上場企業である。現在 SMC は SMB の 51％強の株式を保有している。

　日本の各ビール会社が海外展開を考え始めたのは 1995 年頃であった。キリンは資金があったので，海外展開を一から始めるより海外の優良企業に投資する形をとった。SMB をキリンが完全子会社化するとの報道が何度か出ているが，SMC としては国民的ブランドのサンミゲルビールを簡単には手放さないと思われる。もっとも今後，SMC のインフラ事業など更なる多角化の過程で SMC が SMB を売却したいとの申し出があれば，キリンは検討する可能性もある。

　サンミゲルビールは，日本のビールよりも高温多湿なフィリピンの気候に合っているため在留邦人にも人気があり，現時点ではキリンのビールを前面にだす予定はない。タイのバンコクでは日系の市場が大きいため，キリンの「一番絞り」を日本人向けに，サンミゲルをローカル向けに販売する戦略を取っている。またフィリピンでは 2003 年より「一番搾り」が発売されたが，2018 年末には「新・キリン一番搾り」がリニューアル発売されると取り扱いが増え，2019 年の年間販売数量はリニューアル前年の 2.5 倍に達している[233]。

　サンミゲルビールは，これまでに技術面，営業面，開発面など各部門での連携，知見の共有をおこなっている。近年，発売された「サンミグ・ゼロ」という商品は，キリンビールの「カロリーオフビール」のアイデアや製法を参考にしており，スタイルを気にする情報感度の高いフィリピンの人々に受け入れられた。サンミゲルとのコラボレーションでは，ビール以外にもソフトドリンク

---

[233] フィリピンプライマー，「『キリン一番搾り』絶好調，樽詰生ビール新発売」，https://primer.ph/economy/top_news/kirin-ichiban-shibori-is-in-good-condition-new-barreled-beer-newly-released/（最終閲覧日：2021 年 1 月 30 日）。

分野など成長の余地がある。2014 年 12 月に SMB がサンミゲルの系列会社か
ら非アルコール部門の一部を買収したことにより生産体制は整っていた中，キ
リンと飲料開発でも提携を深める[234]。その後発売し，2017 年には炭酸飲料業
界へ参入した[235]。

　　フィリピンでは，サンミゲルビールは，都市部，農漁村，山岳地帯，スラム
を問わず，どんな場所でも大小様々なストアで販売されている。サンミゲルビー
ルは製造後，どのようなチャネルを経て消費者に届くのだろうか。サンミゲル
のチャネルを把握するため，SMB の代野照幸副社長（当時）にインタビュー
を実施した。概要は以下の通りである。

図表 7-10　調査概要

1.	調査目的	①フィリピンにおけるサンミゲルビールのチャネルの把握 ②サリサリストアを介した流通の把握
2.	調査方法	インタビュー（代野照幸副社長（当時），San Miguel Brewery, Inc.）
3.	調査日	2013 年 10 月 14 日
4.	調査場所	San Miguel Brewery, Inc.（フィリピン・マニラ）

　　フィリピンには，パンパンガ，メトロマニラ，ラグナ，ネグロス，セブ，
ダバオそれぞれに 1 か所の工場がある。製品製造後，エリアオフィス（Area
Office）がある GMA South, GMA North，パンパンガ，ラグナ，セブシティ，
ダバオに配送される。その後，リージョンオフィス（Region Office）である
GMA South の 3 か所，GMA North の 3 か所，ルソン南部地区 7 か所，ビサ
ヤ地区 8 か所，ミンダナオ地区 8 か所に再度，配送される。

　　SMB はフィリピンで 9 割以上のビール市場シェアをもつ。他の日系ビール
会社が百貨店などの近代的小売業しかチャネルをもたない中で，SMB は SMC

[234] 日本経済新聞，「キリン HD，サンミゲルと提携拡大　清涼飲料水を共同開発」，2015 年 7 月 3 日，
　　https://www.nikkei.com/article/DGXLASDZ03HVM_T00C15A7TI5000/（最終閲覧日：2021 年 1
　　月 30 日）。
[235] San Miguel Brewery, "News", https://www.sanmiguelbrewery.com.ph/news/news/san-mig-
　　cola-makes-a-splash（最終閲覧日：2021 年 1 月 30 日）。

図表 7-11　サンミゲル・ブルワリーのチャネル（2013 年時点）

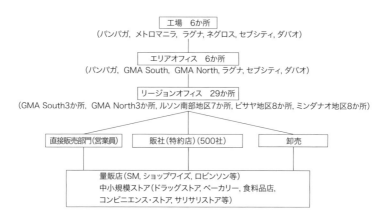

出所：San Miguel Brewery,"Plants and Facilities",
　　http://sanmiguelbrewery.com.ph/plantsandfacilities.php
　　（最終閲覧日：2017 年 8 月 12 日），サンミゲル・ブルワリーのインタビューから作成。

を通して 500 の特約店，47 万 1,000 店舗の零細小売店との取引があり，豊富なチャネルをもっている。このように，毛細血管のように張り巡らされている零細小売店をカバーできるのは，SMC のチャネルを利用しているからに他ならない。東南アジアでは各地に中小小売店が多く存在しているため，提携などによるチャネルの獲得には意味があろう。

　日系企業は，将来的な日本市場の縮小を見据えて海外市場を求めており，キリンだけでなくアサヒも 2012 年にアジア・ブルワリーと提携し[236]，タイで生産した「スーパードライ」をフィリピンへ輸入販売している。

　キリンの東南アジア市場への参入戦略は国民的ブランド同士の連携である。キリンは，現地の優良企業と提携を結んでいるのが特徴的である。まず各々の国で酒類事業のシェアをもつ優良製造会社への資本参加をしてから市場に参入し，そして，現地で親しまれているブランドを獲得するだけでなく，また自社

---

[236] アサヒグループホールディングス，「月次販売情報 2012 年 8 月」，https://www.asahigroup-holdings.com/ir/financial_data/monthly201208.html（最終閲覧日：2021 年 1 月 30 日）。

図表7-12　サンミゲル・ブルワリーの工場配置

出所：San Miguel Brewery, "Plants and Facilities",
　　　http://sanmiguelbrewery.com.ph/plantsandfacilities.php
　　　（最終閲覧日：2017年8月12日）。
　　　https://www.sanmiguelbrewery.com.ph/production-facilities/philippine-
　　　plants-and-facilities（最終閲覧日：2021年1月30日）。

のチャネルを組織するのではなく，進出先で既存のチャネルを利用する方法が
とられている。

3. フィリピン・ヤクルト

（1）ヤクルト本社とフィリピン・ヤクルトについて

　ヤクルト本社の歴史は85年ある。九州・福岡市で1935年に「代田保護菌
研究所」の名のものに「ヤクルト」の製造・販売が開始された。「ヤクルト」
の商標が登録されたのは1938年のことであり，現在では世界各地で親しまれ
るグローバルブランドとなっている。ヤクルト本社の設立は1955年，資本金

は311億1,765万円, 従業員数は2020年3月末で28,395人(連結)[237] である。
2020年度の連結売上は406,004百万円, 純利益は44,838百万円であった。
現在の主な事業内容は食品, 化粧品, 医薬品等の製造・販売などである[238]。

　ヤクルト本社の国際事業は, 今から半世紀前の1964年に台湾からスタート
し, アジア, 米州, ヨーロッパへとネットワークを広げ, 現在は海外29の事
業所を中心に日本国内と合わせて, 40の国と地域で毎日3,000万本以上の乳
製品が愛飲されている。海外のヤクルトレディは約47,500人, 店頭での販売
を担う取引店舗数は約805,600店舗におよび, 1日に飲まれている乳製品は
約3,162万本である (2019年12月末実績, 乳製品本数は2019年平均)。国を超
えて各地で親しまれ, 信頼される企業となるために, ヤクルト本社は地域に根
ざした生産・販売の環境づくりと人材育成をおこなう「現地主義」を大切に,
世界各地に事業所や工場を展開している。独自の販売システムであるヤクルト
レディによる宅配も, 多くの国と地域で実施している[239]。

　アジア・オセアニアでヤクルト本社が展開している国・地域は台湾, 香港, タイ,
韓国, フィリピン, シンガポール, ブルネイ, インドネシア, オーストラリア,
ニュージーランド, マレーシア, ベトナム, インド, 中国, アラブ首長国連邦,
オマーン, バーレーン, カタール, クウェート, ミャンマーである[240]。図表
7-14や図表7-15のように「ヤクルト」のアジア・オセアニア圏に占める売上割
合は高く, フィリピンはASEANの中ではインドネシアに次ぐ「ヤクルト」の
販売数がある[241]。

　フィリピン・ヤクルトは1977年に設立され, 1978年10月に操業が開始

---

[237] ヤクルト本社, 「株式基本情報」, https://www.yakult.co.jp/company/ir/stock/basic.html (最終閲覧日：2021年1月30日)。

[238] ヤクルト本社, 「長期財務・業績データ2001年3月期〜2020年3月期」, https://www.yakult.co.jp/finance/data/connections_2020.pdf, p.4 (最終閲覧日：2021年1月30日)。

[239] ヤクルト本社, 「Yakult会社概要2020-2021」, https://www.yakult.co.jp/company/pdf/company 2020-2021.pdf, p.10 (最終閲覧日：2021年1月30日)。

[240] ヤクルト本社, 「国際事業展開」, http://www.yakult.co.jp/global/ (最終閲覧日：2021年1月30日)。

[241] ヤクルト本社, 「長期財務・業績データ2001年3月期〜2020年3月期」, https://www.yakult.co.jp/company/ir/finance/data/connections_2020.pdf, p.10 (最終閲覧日：2021年1月30日)。

された。資本金は 18 億ペソ，出資比率はヤクルト本社が 40％であり[242]，投資目的は現地市場の開拓とされている。フィリピン・ヤクルトの従業員は 1,419 人であり[243]，管理職以下すべてフィリピン人である。フィリピン・ヤクルトの事業内容は乳酸菌飲料ヤクルトの製造・販売である[244]。

　フィリピンでヤクルトは，都市部，農漁村，山岳地帯，スラムを問わず，どんな場所でも大小様々なストアで販売されている。子供や大人の腸への薬代わりにも使われており，知名度がある。抗生物質入りの薬が高いこともあり，動物病院に行くと犬や猫に処方されるほどヤクルトの効果に信頼をおいている（例えば，生後 1 か月の猫には 0.5ml ／回を整腸のためにスポイドで与える）。

　ヤクルトは製造後，どのようなチャネルを経て消費者に届くのか，ヤクルトのチャネルを把握するため調査に至った。概要は以下の通りである。フィリピン・ヤクルトの直接販売部門に所属するセールスマネージャーにインタビューをおこない，その結果から分かったことを以下に述べていきたい。

図表 7-13　調査概要

1. 調査目的	ヤクルト商品のサリサリストアを介したチャネルの把握
2. 調査方法	インタビュー (Sales Manager, Direct Sales Department, Yakult Philippines, Inc.)
3. 調査日	2013 年 6 月 10 日，2013 年 10 月 10 日
4. 調査場所	Yakult Philippines, Inc.（フィリピン・マニラ）

---

[242] フィリピンプライマー，「17 年の比ヤクルト販売 13％増，4 年連続二桁増加」，https://primer.ph/economy/top_news/2017-philippines-yakult-sell-increase/（最終閲覧日：2021 年 1 月 30 日）。

[243] ヤクルト本社，「ヤクルトの概況」，https://www.yakult.co.jp/company/pdf/gaikyo2020.pdf#page=33，p.27（最終閲覧日：2021 年 1 月 30 日）。

[244] ヤクルト本社，「2019 年 3 月期決算短信補足説明資料」，https://www.yakult.co.jp/company/ir/finance/results/pdf_tanshin/19_04_hosoku.pdf，p.20（最終閲覧日：2021 年 1 月 30 日）。

126

図表 7-14　1 日当たりのヤクルト販売本数（単位：1,000 本）

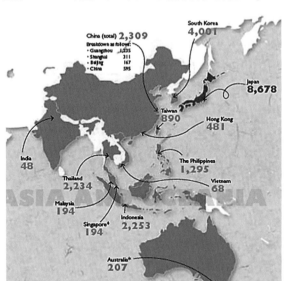

出所：Yakult Honsha,　"Yakult Annual Report 2012",
　　　http://www.yakult.co.jp/english/ir/management/pdf/ar2012.pdf（最終閲覧
　　　日：2021 年 1 月 30 日）。

図表 7-15　海外の 1 日当たりヤクルト販売本数（単位：1,000 本）

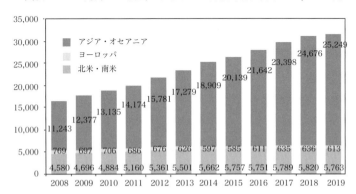

出所：Financial Data Book,　"Financial Data Book (FY2000-FY2019) ",　http://
　　　www.yakult.co.jp/english/ir/management/FinancialDataBook.html
　　　（最終閲覧日：2021 年 1 月 30 日）。

(2) フィリピン・ヤクルトのチャネル

　フィリピンにはラグナに工場が一つだけある。このラグナ工場で品質がチェックされた後，マニラに一つだけある流通センターにヤクルトが直送される。その後，フィリピン・ヤクルトの販売部門の営業スタッフや，販売代理店，販売会社を経て量販店やサリサリストアも含む小売業に商品が搬入される。フィリピン・ヤクルトの販売代理店は38社，販売会社は26社ある。販売代理店はマニラ首都圏にのみ，販売会社は地方にのみある。

　フィリピン・ヤクルトのチャネルは図表7-16の通りである。すべての製品は工場から流通センターを経て直接，小売業や販売代理店，販売会社に運搬されるので，品質が維持されている。個々の製品はとても小さく繊細なため品質チェックが不可欠である。

図表7-16　フィリピン・ヤクルトのチャネル（2013年時点）

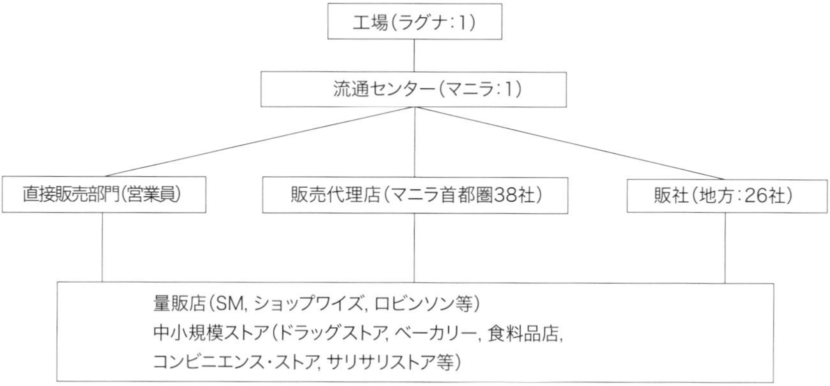

出所：フィリピン・ヤクルトのインタビューから作成。

　以下の（3），（4），（5）では，フィリピン・ヤクルトのチャネル構造を把握するため，販売部門や販売代理店，販売会社について説明していく。またサリサリストアを経由するチャネルについても考察する。

(3) フィリピン・ヤクルトの販売部門

　フィリピン・ヤクルトには三つの販売部門がある。それは，①直接販売部門，

②YMC 部門，③PD 部門であり，②YMC 部門と③PD 部門については，それぞれ図表 7-16 の販売代理店と販売会社の統括の役割を果たしている。

① 直接販売部門では，工場から出荷された商品が流通センターで品質チェックされた後，販売部門の営業員を経由して，販売代理店や販売会社を介さずに直接，小売店に販売される。

②YMC 部門では，フィリピン・ヤクルトの販売代理店を管理するヤクルトマーケティングコーポレーションを統括する。

③PD 部門では，各地方にある販売会社を統括する。

以下に各部門の詳細について述べていきたい。

① 直接販売部門（Direct Sales Dept.）

直接販売部門は，マニラ首都圏を統括しており，フィリピン・ヤクルトの三つの販売部門における売上合計の 39% を占める。そこではスーパーマーケットやドラッグストア，ベーカリー，食料品店，コンビニエンス・ストア，サリサリストアに直接，販売される。そして，小売店舗に並んだ商品を最終消費者が購入する。これは図表 7-2 にある B の「供給業者→小売→最終消費者」のチャネルに該当する。サリサリストアに焦点をあてると，図表 7-3 にある B の「製造会社→小売（サリサリストア）→最終消費者」のチャネルとなる。また舟橋（2013）のインタビュー結果からわかるように，サリサリストアの店主がスーパーマーケットから商品を仕入れるケースもあるため，B´「製造会社→小売（量販店→サリサリストア）→最終消費者」の形態もある。

商品は，スーパーマーケットやサリサリストアをはじめとした小売店にトラックで配送される。またサリサリストアへは二輪車も搬入手段である。各店舗には原則として同じ金額で販売される。

直接販売部門には図表 7-17 のように二つのセクションがある。ケイタリングセクションとルートセクションである。ケイタリングセクションは，スーパーマーケットに特化して商品を搬入する。ルートセクションは小中規模のストアに搬入しており，ドラッグストア，ベーカリー，サリサリストア，コンビニエンス・ストア等，すべてのストアをカバーしている。

図表 7-17　直接販売部門のセクション別搬入先

ケイタリングセクション	⇒　スーパーマーケット
ルートセクション	⇒　ドラッグストア，ベーカリー，サリサリストア， 　　コンビニエンス・ストア等

出所：フィリピン・ヤクルトのインタビューから作成。

マニラ首都圏には，350 店舗もの SM シューマートグループやピュアゴールド，ロビンソンをはじめとするスーパーマーケット等の量販店があり，多くのチェーン店がある。毎年，直接販売部門では，スーパーマーケットの取引先が 50 店舗程度ずつ増えている。サリサリストアの店主はスーパーマーケットから商品を仕入れ，1 〜 2 割増しで最終消費者に販売することが多いので，サリサリストアの売上はスーパーマーケットの売上の一部を占めるともいえよう。低中所得者は通常，サリサリストアで購入しており，ショッピングモールなどにはスーパーマーケットもあるが，リラックスするためだけに行く人も多く，低中所得者がスーパーマーケットで購入する額はとても少ない。

② YMC 部門（YMC Dept.:Yakult Marketing Corporation Dept.）

YMC 部門は，ヤクルトマーケティングコーポレーションを統括しており，フィリピン・ヤクルトの三つの販売部門における売上合計の 21% を占める。そして，ヤクルトマーケティングコーポレーションは，マニラ首都圏に 38 拠点ある，センターと呼ばれるフィリピン・ヤクルトの販売代理店を管理している。販売代理店は，フィリピン・ヤクルトと資本・人的関係にあり，フィリピン・ヤクルトから給与や報奨金を得る営業員からなり，ヤクルトレディを雇用して販売活動をする。

③PD 部門（PD Dept.:Provincial dealers Dept.）

PD 部門は，各地方の販売会社を統括しており，三つの販売部門合計売上のうち 40% を占める。販売会社はそれぞれがフィリピン・ヤクルトと資本関係にあり，エージェント（営業員）は独自に採用する。

(4) フィリピン・ヤクルトの販売代理店

販売代理店は販売者と購買者の取引を仲介する。ヤクルトマーケティング

コーポレーションは，図表7-18のようにマニラ首都圏に38拠点ある，センターと呼ばれるフィリピン・ヤクルトの販売代理店を統括する。そして，フィリピン・ヤクルトのYMC部門がヤクルトマーケティングコーポレーションを総括している。マニラ首都圏以外に販売代理店はない。

図表7-18　Yakult Philippines, Inc. の販売代理店（Centers）

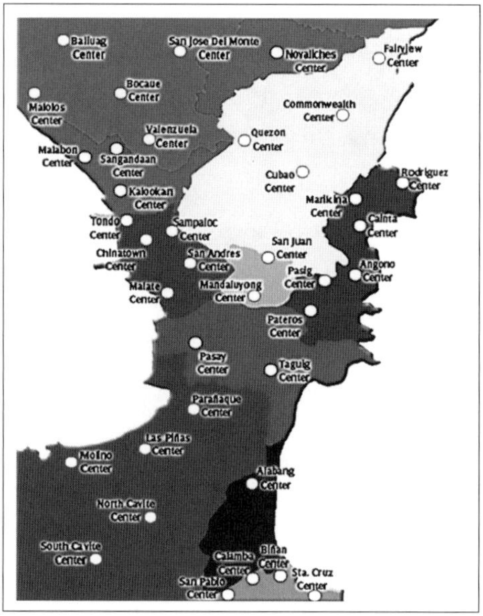

出所：Yakult Philippines, "Map",
http://www.yakult.com.ph/yakult_distributor.asp
（最終閲覧日：2013年10月10日）。

　販売代理店では，営業員やヤクルトレディによる販売や各家庭への戸別訪問による販売を実施する。マニラの流通センターからは，図表7-18のように，マニラ首都圏に38拠点ある販売代理店に商品が配送される。ヤクルトレディは，そこで毎日商品を受け取って，個々の家庭やオフィスを訪問する。

　ヤクルトレディは，通常小さな車輪付きの緑色カートンを使ってヤクルト商品を運搬し，各家庭，オフィス，路上，病院のカフェテリアにて一個単位でヤクルトを販売する。美容院やスパにはパック売りでヤクルトを販売し，最終顧

客に商品を提供する。これは図表7-2にあるCの「供給業者→販売代理店→小売→最終消費者」のチャネルに該当する。販売代理店は，これまでヤクルトレディに重きをおいてきたが，多くの最終消費者に商品を提供できるサリサリストアへの営業にも力を入れはじめている。サリサリストアに流通される場合，チャネルは図表7-3にあるCの「製造会社→販売代理店→小売（サリサリストア）→最終消費者」やC′「製造会社→販売代理店→小売（量販店→サリサリストア）→最終消費者」の形態をとる。

図表7-19　Yakult Philippines, Inc. の販売会社（Distributors）

上からルソン地区：16社，ビサヤ地区：5社，ミンダナオ地区：5社
出所：Yakult Philippines, "Map", http://www.yakult.com.ph/yakult_
distributor.asp（最終閲覧日：2013年10月10日）。

(5) フィリピン・ヤクルトの販売会社

　販売会社は，親会社であるフィリピン・ヤクルトの出資により設立され，フィリピン・ヤクルトの製品を専属的に地域の小売業者や消費者に販売する卸売業の機能をもつ。フィリピン・ヤクルトはマニラ首都圏以外のルソン地区，ビサヤ地区，ミンダナオ地区の三つの地域に分けて販売会社をおき，ルソン地区には16社，ビサヤ地区には5社，ミンダナオ地区には5社の合計26の販売会社がある（図表7-19参照）。そしてそれぞれの地区には配送センターがあり，販売会社では倉庫をもっている。営業員は各地域をトラックで定期的に回って，広範囲のエリアをカバーしている。サリサリストアなどの小売店は販売会社に連絡をすると，一番近くにいる営業員が訪問してくれる。また営業員は端末機械を用いた予約システムやルートシステムなどを活用し，商品の予約や顧客への商品搬入に役立てている。

　ルソン地区，ビサヤ地区，ミンダナオ地区にあるすべての販売会社は，それぞれの地区の出身者によって設立されており，地域のことに熟知している。販売会社の創業者はもともとマニラにあるフィリピン・ヤクルトもしくはヤクルトマーケティングで働いており，定年退職後もしくはもっと若くても出身地で事業をおこなうことに関心をもつ者が起業をしている。

　販売会社からスーパーマーケットや食料品店，サリサリストア，各家庭にヤクルトが配達され，地方で流通しているすべての商品は販売会社を経由する。

　スーパーマーケットや業者によっては，小売店にヤクルト商品の再販売をして卸売の役割を果たし，各小売店の最終消費者への販売価格には幅がある。例えば，量販店のピュアゴールドはもともと卸売的存在であり，多くの商品をサリサリストアが仕入れていた。それは，ピュアゴールドがフィリピン・ヤクルトの認めていない後払いを認めており，サリサリストアにとっては魅力的なためである。

　販売会社の顧客は販売会社でみつける。例えば，販売会社の管轄地区でスーパーマーケットが新店舗を開店する際には，販売会社はそのスーパーマーケットのマネージャーと交渉して取引の契約を取り付ける。その後，マニラにある

フィリピン・ヤクルトのセールスマネージャーが契約を許可し，スーパーマーケットの開店前に書面で契約が取り交わされる。

　ルソン島内ではトラックによって運搬され，ミンダナオ島やビサヤ等の遠方の地域には，船を中心にトラックも併用しながら商品が運搬される。運送費用は船のほうが陸上輸送よりも割安である。それぞれの販売会社はトラックを基本的な搬送手段としている。

　ミンダナオ島では，2013 年に販売会社として立ち上がったばかりである。テロも多く危険なことも多いが，ミンダナオのムスリムの人々の健康に関わることをポリシーとしている。ヤクルトはムスリム地域で力を伸ばしつつあり，ミンダナオでは 2 地域に分けて合計五つの販売会社がある。それぞれの販売会社では，独自に営業員やヤクルトレディを雇用して小売店に商品を販売する。

　これは図表 7-2 にある D の「供給業者→卸売／販売会社→小売→最終消費者」のチャネルに該当する。サリサリストアに流通される場合には，チャネルは図表 7-3 における D の「製造会社→卸売／販売会社→小売（サリサリストア）→最終消費者」，D′「製造会社→卸売／販売会社→小売（量販店→サリサリストア）→最終消費者」，D″「製造会社→卸売／販売会社→小売（市場→サリサリストア）→最終消費者」の形態をとる。販売会社がおかれている地区では，量販店をはじめとした近代的小売業の店舗数が少ないため，サリサリストアの販売力は無視できない。

(6)　本調査によるファクト・ファインディングス

　本節では，フィリピン全土に広がる零細小売業のサリサリストアに着目し，フィリピン・ヤクルトの販売部門や販売代理店，販売会社を取り上げた。文献探索やフィリピン・ヤクルトへのインタビューにより，フィリピン・ヤクルトのチャネルについて把握することができた。

　舟橋（2013）は，ルソン島や，レイテ島，サマール島にあるサリサリストアの店主や来店客，サプライヤーへのインタビュー調査から日用品や加工飲料食品について，Rangan（2006）を基に図表 7-20 のような 7 パターンのチャ

ネルが存在することを明らかにした。そして，今回の直接販売部のマネージャー
へのインタビューにより，フィリピン・ヤクルトにはそれぞれのチャネルに対
応した販売部門をもつことが理解できた。それは，直接販売部門，YMC 部門，
PD 部門である。

図表 7-20　サリサリストアを介するフィリピン・ヤクルトのチャネル構造と関連部門

B	Direct Sales Dept. 製造会社→小売（サリサリストア）→最終消費者
B′	Direct Sales Dept. 製造会社→小売（量販店→サリサリストア）→最終消費者
C	YMC Dept. 製造会社→販売代理店→小売（サリサリストア）→最終消費者
C′	YMC Dept. 製造会社→販売代理店→小売（量販店→サリサリストア）→最終消費者
D	PD Dept. 製造会社→卸売／販売会社→小売（サリサリストア）→最終消費者
D′	PD Dept. 製造会社→卸売／販売会社→小売（量販店→サリサリストア）→最終消費者
D″	PD Dept. 製造会社→卸売／販売会社→小売（市場→サリサリストア）→最終消費者

出所：舟橋（2013）をもとに作成。

　直接販売部門ではマニラ首都圏を統括しており，スーパーマーケットやド
ラッグストア，ベーカリー，食料品店，コンビニエンス・ストア，サリサリス
トアに直接，販売をする。YMC 部門ではヤクルトマーケティングコーポレー
ションを統括しており，ヤクルトレディによる販売，各家庭への戸別訪問によ
る販売を実施する。PD 部門は各地方の販売会社を統括している。それぞれの
販売会社は営業員を抱えており，サリサリストアなどとの接点となる。

　フィリピン・ヤクルトの特筆すべき点としては，販売会社の機能がフィリピ
ンの隅々まで活かされていることがあげられる。地元出身者のパワーが遺憾な
く発揮され，フィリピン全土において，ヤクルトがくまなく流通している。そ
して，サリサリストアをチャネルの中にうまく取り込むことで，多くの最終消
費者を得ているといえよう。

(7)　結びとして

　フィリピン・ヤクルトでは，低中所得者が多いフィリピン市場にて，全国に広がる零細小売業のサリサリストアに商品を流通させるシステムが構築されている。

　この仕組みは，フィリピン全土に販売員を配置していること，そして，管理職以下すべてフィリピン人から成り立っているということに起因するのであろう。フィリピンの小売業は，近代的小売業とサリサリストアのような伝統的小売業が共存しており，フィリピンでは多くの国とは違い，零細小売業が今もなお，増え続けている。このような現状を，フィリピンに参入しようとする外国企業は考慮する必要があり，現在でも零細小売業が幅をきかせている他の新興国市場においても同様であろう。

終章——本書のまとめと今後の課題——

1. 各章のまとめ

第 1 章

　フィリピン市場の特殊性を検討し，次いで BOP 市場とフィリピン市場への可能性について検討した。

　第 1 節では「BOP 市場」の概要について Prahalad & Hart（2002）や Hammond, et al.（2007）等の研究から考察している。第 2 節では「BOP 市場の課題」について,（1）市場規模,（2）収益性,（3）投資の回収,（4）商品選択に与える影響,（5）パートナーシップ,（6）環境問題,（7）事業の有効性の観点において検討している。第 3 節では「BOP 市場への参入戦略」について，課題を克服するにあたっての企業の参入戦略について先行研究から述べている。そして，第 4 節では「フィリピン市場と消費活動」について，BOP 層を対象とした事業を考えていくうえでの具体的事例として，フィリピンについて考察している。

　BOP 市場は偶然に成功するわけではなく（Prahalad & Liberthal, 1998），富裕層や先進国の消費者と同じようなマーケティング戦略では，失敗に終わるだけである。この新規市場への積極的な取り組みが必要といえ，本章での実証的検討によって導き出される論理展開が，実際のフィリピンの BOP 市場やビジネスの可能性についての理解を深め，後章のヒアリング調査へと結びついている。

第 2 章

　フィリピンにおける流通の概要や外資系小売企業の状況について述べてき

た。フィリピンの流通や消費に焦点をあてることで，フィリピンの流通の実態を明らかにすることを目的とした。フィリピンでは，投資案件の増加や出店増加にともなう流通の近代化および消費市場の拡大が，都市部を中心に徐々にみられるようになっている。しかし，フィリピンでは今なお，近代的小売業と伝統的小売業が共存する状態にあるのが特徴的である。そして，所得の地域差，富む者と貧しい者の格差が大きいことから，中間層は増えても購入先の棲み分けがされているため，この状況の劇的な変化は起きないとみられる。

　フィリピンにおける流通の今後の発展可能性はどうであろうか。フィリピンは，2010年から2016年までのベニグノ・アキノ3世政権下で政治が安定し，経済成長が顕著となった。現在の政権は，ドゥテルテ大統領の強力なリーダーシップのもと，治安政策や投資企業の誘致に力を入れている。経済成長は引き続き好調で，流通面においても外資や財閥企業によって近代化が進んでいくであろう。

第3章

　流通の四つの流れ－商流，物流，情報流，金融流－，チャネルの検討，加工飲料食品の流通チャネルからなる。第1節の「流通の四つの流れ－商流，物流，情報流，金融流－」では，商流，物流，情報流，金融流について概観した。第2節の「チャネルの検討」では，Rangan (2006) のチャネルのモデルから具体的にチャネルには4パターンあり，供給業者と最終消費者を小売，販売代理店，卸売／販売会社等が仲介することを図表で説明している。これら枠組みや考え方については，後章のサリサリストアを介するチャネルの分析研究に使用している。第3節の「加工飲料食品の流通チャネル」では，零細小売店のサリサリストアで多く扱われている加工飲料食品の流通チャネルに着目し，一般的な加工飲料食品の流通チャネルの形態とフィリピンでみられる加工飲料食品製造会社のチャネルについて紹介している。

第4章

　フィリピンの流通に欠かせない零細小売業サリサリストアを検討するにあたり，零細小売業とは何であるのか，営業目的，零細小売業の保護，存続理由，寡占製造会社との関係から検討した。その結果，零細小売業は「事業規模が零細」であり，「事業主と家族の生計費の獲得」を目的とし，「経営組織は事業主とその家族によって維持される」，「経営と家計が未分化である」ことが特徴づけられた。また寡占製造会社が市場のすみずみまで商品を行きわたらせ，消費者に商品の存在を認知させるためには，消費者に近接して多数に散在する零細小売業が寡占製造会社にとって重要な存在であることがわかる。

　後節では，フィリピン全土どこにでもある零細小売店サリサリストアが，交通インフラが不十分な中で,店主にとっては生計手段として，また消費者にとっては日用品や飲食料品の調達場所として重要であることに着目している。特にネスレとユニリーバは，多くの商品がサリサリストアの店頭に陳列されている。この2社のサプライヤーや営業員は，サリサリストアへの来店に力も入れており，ニーズの発掘や受注発注の機会を増やしている。現地独立法人をもち，フィリピン人の嗜好に合った商品を購入しやすい小分けのパックに製品化している。ネスレでは価格を下げるための努力や流通の工夫，そして，雇用の創出を目指している。一方，ユニリーバはフィリピンの社会課題に適応した商品開発を目指している。

第5章

　フィリピンの人々の消費活動に大きな役割を果たす農漁村のサリサリストアを取り上げて，①サリサリストアと取扱商品の把握（仕入・販売方法等も含む），②消費者の購買力や多国籍企業商品の浸透具合を理解，③サリサリストアを介した流通構造について把握することを目的とした。そして，BOP市場への未参入企業の参入方法について検討した。研究方法は，インタビュー調査が中心である。インタビューはルソン島や，レイテ島，サマール島にある農漁村部のサリサリストアの店主や来店客，サプライヤーについて実施した。その結果，日用品や加工飲料

食品については，7パターンの流通チャネルがあることが明らかになり，またサリサリストアは，製造会社や量販店，市場と最終消費者との仲立ちをする役割をもつことが明確となった。

　ルソン島とレイテ島のサリサリストアで販売される商品の多くは，サリサリストアの店主が市場や卸，地元のスーパーマーケットである SM シューマートなどから仕入れる。つまり，地理的に店主が仕入れに行ける範囲にあり，仕入可能な金額であること，そして，サリサリストアの店舗に並べるときにバラ売りできることが重要である。どんな農漁村に行ってもサリサリストアでは，現地産の商品とバラ売りの多国籍企業商品が並んで販売されていた。参入企業は，古くからある商売方法に合わせて商品を提供する。バラ売りのため価格も安く，消費者は他ブランドからの移行が容易でもある。

　山岳地帯では大型サリサリストアの中小型サリサリストアへの卸売業的役割が見受けられた。インフラが発達していないため，商品の獲得は都市部に比べて困難である。そのため，大型サリサリストアは物流機能の役割を担っていた。

第6章

　ルソン島とレイテ島の都市部のサリサリストアについて，商業地とスラムのサリサリストアを取り上げ，第5章と同じようにインタビュー調査を中心として，それぞれの地域におけるサリサリストアの役割や特徴について掴んだ。①サリサリストアと取扱商品の把握（仕入・販売方法等も含む），②消費者の購買力や多国籍企業商品の浸透具合を理解，③サリサリストアを介した流通構造について把握することを目的とした。そして，都市部 BOP 市場への未参入企業の参入方法について検討した。

　またフィリピンにおける都市部（マカティ市）の卸売構造を掴んだのち，都市部の加工飲料食品を取り扱う卸売業の役割と機能について明らかにした。そして，サリサリストアが卸売的役割も果たすことが明瞭になった。都市部では商流，特に対生産者の販売活動や品揃形成に対する支援，卸売段階での価格形成についての機能が大きい。都市部では商品や競合会社も多いため，情報流通

機能としての役割も大きい。

第7章

　本章では，製造会社がフィリピン全土に広がるサリサリストアを事業の中でどのように活用しているのか，流通・マーケティング戦略を考察した。事例として，加工飲料食品の製造会社であるネスレ・フィリピン，サンミゲル・ブルワリー，フィリピン・ヤクルトを取り上げ，チャネル構造について把握した。各社は，フィリピン全土に広がるサリサリストアを活用したチャネルづくり，組織づくりによって自社製品が農漁村部，都市部，また所得層を問わず供給される仕組みづくりをしている。そして，製造会社3社がフィリピン全土に商品を流通するに当たり，積極的にサリサリストアに商品を投入していることが明らかになった。企業の成功には現地のチャネルを最大限に利用することが重要である。

2. 研究の示唆

　本書は，フィリピンのBOP市場におけるサリサリストアの分析に取り組んだ成果である。こうした研究の取り組みは，これまでの研究史上，未着手の領域であったと思える。またフィリピンのBOP市場への企業の国際展開に対しても示唆を与えた。

　近年，新興国のBOP層は巨大な潜在市場として注目されてきたが，未だ流通や消費構造を明らかにする分析は限定的なものにとどまっている。フィリピンについても例外ではなく，これまでその研究はほとんど進んでいない。

　本書は，BOP層の購買行動において重要な役割を果たすサリサリストアを取り巻く流通構造を分析するとともに，フィリピン9地域のサリサリストア店主等へのインタビュー調査を通じてBOP層の消費行動を明らかにした。フィリピンのBOP層にとって，柔軟な支払形態を整えるサリサリストアはその生活において不可欠な存在であり，その意味でサリサリストアがBOP市場で果たす役割は

大きい。これは BOP 市場の成長を考察するうえで，サリサリストアとの協力関係を築くことが極めて重要になることを意味している。

　本書の目的は，途上国市場，とりわけフィリピンの流通構造や消費者行動を解明することが研究上の最大の関心であり，BOP 層の消費活動に大きな役割を果たしてきたフィリピンの零細小売店サリサリストアを中心に，商品の流通や仕入・販売方法，BOP 層の購買力を解明することにあった。それは，対象国・地域の特殊性を鑑みた研究が特に重視されつつある国際マーケティング論研究の流れに沿ったものである。

　サリサリストアは，地域に根付いた「ご近所のお店」であり，販売方法や支払方法の工夫によって来店客の買い求めやすさを追求し，新商品を紹介している。企業はサリサリストアを介することで広範囲にわたって商品を流通することができる。つまり，企業がサリサリストアを介した流通システムに注目し，サリサリストアで取り扱い可能な商品開発やマーケティング戦略をとることができれば，シェア拡大につなげることができよう。

　サリサリストアとコンビニエンス・ストアとの違いは「掛け売り」ができるかどうかである。サリサリストアが消えずに残っている理由として組織的・相互扶助的な役割があり，地域によって臨機応変な営業を実施していることがあげられる。

　本書の目的の一つとして，フィリピンにおける加工飲料食品を取り扱う卸売業の役割と機能を明らかにすることにあった。近年，国際的な企業展開の中で，フィリピンでの事業展開（とりわけ生産基地としての）は大きな関心事にありながら，これまで生産者と零細小売店の仲立ちをする卸売業の機能や役割などに焦点をあてた流通チャネル研究はほとんどなかった。この課題に取り組むべく，インタビュー（サリサリストアの店主，出入り業者）と観察調査を通じて，ルソン島北部の山岳地帯と都市部を対象に加工飲料食品の卸売構造や販売会社，販売代理店，特約店の実態を解明し，加工飲料食品を取り扱う卸売業の役割とその機能について整理した。この中で，大型のサリサリストアが小中規模のサリサリストアに対して卸売的機能を発揮するとともに，小型サリサリストアに

とって中型サリサリストアが，中型サリサリストアにとって大型サリサリスト
アが在庫機能の役割を果たしていることが明らかにされている。

　本研究では加工飲料食品を中心とした流通チャネルのパターンについて把握
することができた。またフィリピン・ルソン島北部の山岳地帯（イフガオ州バ
ナウエ，ヌエバビスカヤ州ソラノ）とルソン島の都市部（マニラ首都圏マカティ市）
を対象に卸売構造を掴んだ。次に加工飲料食品を取り扱う卸売業の役割と機能
について山岳地帯と都市部について，明らかにすることができた。そして，サ
リサリストアが卸売的役割も果たすことが明瞭になった。

　山岳地帯では，大型サリサリストアの中小型サリサリストアへの卸売業的役
割が大きい。インフラが発達していないため，物資の獲得は都市部に比べて困
難であり，大型サリサリストアは物流機能の役割が強い。また販売会社や販売
代理店，特約店が好まない掛け売りを認めるなどの助成機能（金融）の役割も
強い。

　都市部では商流，特に対生産者の販売活動や品揃形成に対する支援，卸売段
階での価格形成についての機能が大きく，商品や競合会社も多いため，情報流
通機能としての役割も大きい。

　フィリピンの消費者の多くは，地元の小規模商店であるサリサリストアを中
心に，市場，スーパーマーケット，チャイナタウン，露店，もしくは行商人等
から商品を購入する。コンビニエンス・ストアで買い物をするのは消費者の中
でも中間層以上であるが，富裕層でない限り，頻繁には利用しない。

　フィリピンの消費者がよく利用するのはサリサリストアである。都市スラム
のトンドでは，消費者がサリサリストア以外で買い物をすることは稀であった。
サリサリストアは，スーパーマーケットで商品を仕入れ，仕入価格に１〜２
割程度の利益をのせて販売していることが多いため，サリサリストアのほうが
スーパーマーケットよりも価格は高い。しかし，たとえ高くても，交通手段や
運搬手段がないため，消費者は歩いて行ける範囲にあるサリサリストアで購入
している実情はある。

(1) サリサリストアの特性・取扱商品と仕入・販売方法

　サリサリストアの店主は9割以上が女性で，ハイスクール卒業以上の学歴があるなど各地域の比較的高い教育レベルの者がこの仕事に就いている。多くの開業資金を必要としないため，家計の補助や起業の第1段階として開業する。スラムや農村といった貧困地域では，サリサリストアの開業資金に各自の貯蓄を充当するか，または知人に借金をしていたが，マニラ市街地のクバオの某店主の場合，銀行から資金を調達していた。この資金は製薬会社などの民間企業が合同で融資する。サリサリストアは零細小売業の総称であり，店舗規模や資金力は地域を問わず様々で，スラムなどの正規に登録していないサリサリストアは店舗名をもたないことが多い。

　各地域のサリサリストアの仕入額を比較すると，例えば，都市スラムのトンドでは，1日当たり200～300ペソもしくは1週間当たり20,000ペソ，中間層が多いと思われるクバオのインタビューできた中規模店舗の場合[245]，販売代理店からの商品仕入額のうち現金払いは1週間当たり50,000ペソ，委託販売は1か月当たり200,000ペソ，市場からの仕入額は1週間当たり20,000ペソ，そのうち掛けが10,000ペソであった。農村地区のポーラックでは，商品の仕入額が1週間当たり1,000～10,000ペソと店舗によって幅があった。

　売上はトンドでは店舗によって幅があり，1日当たり150～3,000ペソ，クバオでは1日当たり5,000～10,000ペソ，ポーラックでは，店舗によって，1日当たり100～2,000ペソと差があった。クバオにあるサリサリストアの場合，仕入額や売上金額が他の2地域と比較し際立って多い。

　営業時間は長く，運搬作業など決して楽ではないが，この仕事で成功した者は，スーパーマーケットやコピーサービス，クリーニング屋など，サリサリストアで得た金を次のビジネスへの資金とすることができる。営業時間は，農村では開店時間が他地域よりも1～2時間早い。都市部では夜間だけの営業や24時間営業の店舗もある。

　どの地域のサリサリストアにおいてもタバコや蚊取り線香，シャンプー，リ

---

[245] 客の入りもよく，この地域では比較的繁盛していると思われる。

ンスなどの日用品を少量の個装にし，1個単位で販売する。また塩，砂糖など
の調味料はグラム単位で，キャンディーやガムといった菓子も1個単位で買い
求めることができる。サリサリストアは住居と店舗を兼ねる。家族で交代して
店番をおこない[246]，朝は7時頃から夜は10時近くまで店を開ける。住人の情
報交換・憩いの場でもあり，商品を購入するだけでなく，仕事の情報などを得
る。店主の家庭にとって日常物資の実物貯蓄としての機能も果たす[247]。

　サリサリストアの消費者や店主の支払方法は，サリサリストアの消費者は都
市部では現金払い，農村部では掛けもある。またサリサリストア店主は，企業の
サプライヤーから直接搬入される飲料などは，来店客に販売できた分だけをサプ
ライヤーに支払う。販売代理店からサリサリストアへの搬入商品には地域差が
ある。マニラ市街地のクバオでは，飲料，タバコ，アイスクリームが販売代理店
や工場から直接搬入されていたが，農村部ポーラックでは市場から離れたサリサ
リストアに飲料が搬入されている以外は直接搬入されておらず，市場やスーパー
マーケットからサリサリストア店主が商品を仕入れていた。直接，商品が搬入さ
れない理由としては，工場から遠く，交通が不便なことや，総売上が少ないため
と考えられる。その一方で，ルソン島北部の山岳地帯にある大型サリサリスト
アには，飲料以外の商品も直接，販売会社や代理店から搬入されており，中小
型のサリサリストアに商品を再販売する卸売的役割を果たしていた。

(2) フィリピン庶民の生活および多国籍企業商品の浸透

　どの地域に行ってもサリサリストアでは現地産の商品とバラ売りの多国籍企
業商品が並んで販売されていた。企業は，古くからある商売方法[248]に合わせて
商品を提供する。バラ売りのため，他ブランドからの移行が容易でもある[249]。

　サリサリストア店主の外国商品への印象は総じてよく，品質に満足してお
り，生活に必要であると述べている。多国籍企業商品は，スーパーマーケッ

---

[246] 従業員を雇う店舗もある。
[247] 舟橋 (2011a)，p.51。
[248] バラ売り。
[249] 舟橋 (2011a)，p.52。

トに行けば購入できるので入手し易いが，逆に，多くの多国籍企業商品はスーパーマーケットに行かない限り入手できないため，サリサリストアの消費者からはブランド名でリクエストを受けて仕入れる。クノールや味の素製品は，毎日の必需品となっており，商売には不可欠であると同時に，消費者の生活を便利にする。多国籍企業商品の価格については，高い，もしくは製品によっては高いという意見がほとんどであった。しかし，多国籍企業の参入によって，商品の選択肢が広がり，また価格競争が生まれることによって個々の製品の価格が下がるのは好ましいと店主や消費者は考えている。

　ポーラックでは，市場近くの街のサリサリストアでは日用品を販売していたが，街から離れた農地では，食品，飲料だけしか扱っていなかった。なお，ポーラックの支払方法については，マニラ都市部とは違い掛け売りが主流であったが，出稼ぎ労働者が多いため，売掛金を踏み倒されることもあるという。

(3) 調査から分かったフィリピンの流通チャネル

　フィリピンのBOP層は，地元の零細小売店であるサリサリストアを中心に，市場，スーパーマーケット，チャイナタウン，露店，もしくは行商人などから商品を購入する。サリサリストア店主が商品を仕入れるためにコンビニエンス・ストアに行くことは皆無である。コンビニエンス・ストアで買い物をするのは消費者の中でも中流層以上であるが，富裕層でない限り頻繁には利用しない。フィリピンの消費者がよく利用するのはサリサリストアである。都市スラムのトンドでは，消費者がサリサリストア以外で買い物をすることは稀であった。

　消費者が商品を購入するまでに経る段階が多いほど，仲介業者のマージンがかかるため価格は上がっていく。BOP層は商品を入手するまでの流通ステップが多いため，必然的に商品の価格が高くなる。しかし，サリサリストアでは必要量だけをバラで買うことができるため，日々稼いだ収入で必要なものを入手することができる。サリサリストアで販売される商品の多くは，サリサリストアの店主が市場や卸売，地元のスーパーマーケットなどから仕入れる。つまり，地理的に店主が仕入れに行ける範囲にあり，仕入可能な金額であること，そして，サリ

サリストアの店舗に並べるときにバラ売りできることが重要である[250]。

(4) 考　察

　本研究では，BOP 層の消費活動に大きな役割を果たすサリサリストアを取り上げて，商品流通のしかたや仕入・販売方法，BOP 層の購買力について解明することを目的とした。そのため，9 地域でインタビュー調査をおこなった。その結果，商品流通や仕入・販売方法に大差ないものの，仕入額や売上金額については，都市スラムや農村，マニラ市街地とでは大きく違うことが見出された。

　都市スラムのトンドでは，各サリサリストアが隣り合うように営業しており小型店舗が多いため，1 店舗当たりの売上が小さく，中流層が多く住む市街地のサリサリストアと比較しても，各店舗の商品の取り扱い量は小さい。しかし，サリサリストアのおかげで，トンドの住民は様々な商品を必要な分量だけ，交通費をかけずに手に入れることができる。地域になくてはならない小売店である。

　サリサリストアに陳列されている商品からは，多国籍企業商品の需要やBOP 層へのマーケティング手法を知ることができた。どの地域に行っても，多くの多国籍企業商品を店頭でみることができ，インタビュー調査においても多国籍企業商品が日常生活に浸透していることが分かった。また個装の少量パッケージで販売することが，BOP 層に対する必要最低限の販売手法である。本調査でサリサリストアの消費者は，多国籍企業製品の品質についてよい印象をもち，日常生活を便利にすると述べているが，一番の問題は価格が高いという意見が多かったことにあり，日用品に代表される多国籍ブランドは便利ではあるが，それら商品がないと生活できなくはないことにもある。また多国籍ブランドは高いというイメージをもたれることが多かったが，必ずしも現地企業のブランドと比較して高価格とはいえないので，そのイメージを払拭する必要がある。

　以降では，BOP 市場に関する先行研究，特に流通，商品，支払条件についてを取り上げ，本調査から得られた知見と比較するとともに，フィリピンの BOP

---

[250] 舟橋 (2011a)，p.52。

層向けビジネスについて論じていきたい。

　都市スラムは人口密集地ではあるが，それ以外の貧困地域や農漁村は点在していること，十分な現金収入がないことから，企業が貧困層をターゲットとして利益を上げるためには，流通や支払条件など工夫が必要である[251]。それでは，具体的にどのような方法をとればよいのだろうか。下記では流通，商品，支払条件について先行研究や本調査結果から得られた知見を図表 8-1 〜 8-3 にまとめた。

　流通システムについていえば，企業が BOP 市場でビジネスをするためには，ローカルネットワークの活用が有効である。現地の流通システムや人材を大いに活用することが企業の経済的成功に結びつき，現地のパートナーにとっても雇用機会を得ることができる。サリサリストアの活用は企業製品と消費者とのつながりに不可欠である。

　消費者は地元の商品に固執しているわけではなく，購入可能な価格であれば，便利と思われる商品を積極的に取り入れる。また新規の商品市場に参入すれば，地元に密着した現地企業の商品と競合することもなく，薄利多売を追求する必要はない。BOP 層の経済的に不安定な生活を考慮して，支払条件を検討することが重要であるが，本調査結果では都市圏のサリサリストアは来店客に現金払いを求めている。地域の状況や商業慣習を熟知したうえでビジネスの方策を決めることが求められる。

　本研究はフィリピンの限られた地域における調査による。しかし，サリサリストア店主へのインタビューや，搬入時の様子を観察することによって得たファインディングは多い。

　近代的小売業は成長しているが，店舗数だけでみると，伝統的小売業が多数を占める。また食料雑貨についていえば，近代的小売業の多くの消費者は伝統的小売業・サリサリストアの店主である。スーパーマーケットなどの近代的小売業で仕入れた商品に利益をのせ，少量単位で近隣の人々に販売する。近代的

---

[251] 舟橋 (2011a), p.55。

図表 8-1　流通について得られた知見

先行研究	本調査結果
・多国籍企業が，通常用いるサプライチェーンや生産方式，デリバリーシステムでは，非常に多くのコストがかかる [Prahalad & Liberthal, 1998:72, Karamchandani, et al., 2011:109]。 ・新興国市場は，非効率的な流通システム，粗末な金融機関，機能しない物流などインフラに問題があり，多くの投資が必要であると思われがちである [Prahalad & Liberthal, 1998:74]。	・サリサリストアで取り扱われる調味料，インスタント食品，菓子類，飲料，日用品等に限っていえば，市場やスーパーマーケットに卸すことができさえすれば，サリサリストアの店主自らによる仕入れによって各サリサリストア店舗に商品が流通され，人口の大多数を占める BOP 層や MOP 層に消費されることになる。既存の流通ルートに乗せることができれば，企業はコストをかけないで商品を市場にだすことができる。サリサリストアの活用は企業製品と消費者とのつながりに不可欠である。
・成功企業は，企業のバリューチェーンの中に多くの小規模サプライヤーを取り入れる [Karamchandani, et al., 2011:pp.110-111]。 ・現地の質の高いサプライヤーをみつけて育成するのは，人件費が低いためコスト的に優位であり，地元と密着して知人も多いパートナーは貴重である [Prahalad & Liberthal, 1998:74-77]。 ・企業が自社の経済的成功と顧客層の経済的成功とを結びつければ，多くの利益を上げることができ，さらに地元社会の経済が健全に成長すれば，バリューチェーンを構成するメンバー全員も，ますます利益を高め，繁栄していく [Rangan, V.K., et al., 2011:114-115]。	・サンミゲルやコカ・コーラといったフィリピンで活動する代表的飲料製造会社の販売代理店は，サリサリストアの搬入を通して市場と雇用の創出をする。フィリピンの現地流通システムと人材を最大限に生かしているといえる。

図表 8-2　商品について得られた知見

先行研究	本調査結果
・多くの多国籍企業にとって，新興国市場への参入は，新しいカテゴリー製品やサービスの導入を意味しており，まったく新しいカテゴリー商品については，消費者意識を変える必要がないため，導入が簡単である。一方，現地の嗜好や習慣を反映する食品などは，無料サンプルの配布や有名人を起用した販促活動のためにコストがかかる [Prahalad & Liberthal, 1998:72-73]。	・消費者は地元企業の商品に固執しているわけではなく，購入可能な価格であれば，便利と思われる商品を積極的に取り入れる。特にフィリピンは若い世代が中心 [253] の国であり，新しいカテゴリーの商品にも抵抗感はないと思われる。 ・パーモリーブやユニリーバのシャンプー，リンスは，これまで卵白で洗髪をし，ココナッツオイルで髪に潤いを与えていたところに [254]，新規商品として登場し，商品イメージや手軽さから多くの若い女性に受け入れられた。プロクター・アンド・ギャンブル（P&G）の紙おむつは，新しいカテゴリー製品として登場し，便宜性から多くの消費者を把握することができた [255]。
・消費者は既存商品があるものについては，従来よりも低価格でよい品質を求めるか，もしくは単に安い商品を望んでいる [252] [舟橋，2011b:208]。	・サリサリストアで取り扱われる人気商品のうち，ネスレはフィリピンで100年に及ぶ企業活動をしていること，味の素の塩は1ペソから購入できるだけでなく，他に代替商品がないことが強みである。新規参入企業は，これらの企業と競合するために工夫が求められる。

[252] Karamchandani, et al. (2011), p.109 が紹介する調査結果から導き出した。
[253] 年齢別人口構成比率(20015年)は，0〜14才が31.8%，15〜64才が63.4%，65才以上が4.7%である。17才以下が全人口の38.0%を占める。
Philippines in Figures 2019, https://psa.gov.ph/sites/default/files/PIF2019_revised.pdf, p.21（最終閲覧日：2021年1月30日）
[254] トンド地区の女性へのインタビューによる。
[255] フィリピン企業も後発企業として紙おむつ市場に参入して愛用されている。その一方で， BOP層を中心に多くの乳児はおむつや下着なしで日常生活を送る。

図表 8-3　支払条件について得られた知見

先行研究	本調査結果
<支払方法の工夫> ・多くの企業は価格を下げることに力を注ぐが，BOP層が貧困者であるというだけでなく，経済的に不安定な状態の中で生活していることを見落としている。少量販売や，掛け売り，分割払いといった支払方法が購入を推進する。また消費した量だけ支払うという方法もある　[Karamchandani, et.al., 2011:108]。	<掛け売り> ・農村地区ポーラックのサリサリストアでは掛け売りをおこなっていた。これは収穫物のできが天候によって左右されるため，すぐには現金を支払うことができなかったり，収穫時期が多少遅れることもあるからである。 <現金払い> ・スカベンジャーが多い都市スラム・トンドでは，農家と比較して収入の変動が少ないことや，住民の流動性が大きいため，基本的に現金払いである。 ・都市スラム・トンドやマニラ市街地・クバオのサリサリストア店主は，回収できない恐れがあるため，掛け売りはしないと述べていた。 <マイクロファイナンス> ・本調査ではサリサリストアの開業や商品の仕入れにあたって，マイクロファイナンス[256]は利用されていなかった。親戚や知人間のきずなが強く，相互扶助や借金が頻繁におこなわれていること，サリサリストアを開業するにあたって多額の資金を必要としないことなどが背景にあると考えられる。

---

[256]　バングラデシュで成功をおさめたマイクロファイナンスは，銀行からの融資を受けることが困難なBOP層が，起業や商品仕入れのために非営利機関などから貸し付けてもらえる制度である。

小売業の成長に伝統的小売業の囲い込みは欠くことができない。

　今後フィリピンの経済成長とともに都市部では近代的小売業は成長し，伝統的小売業は減少していくかもしれない。しかし，都市部と比較して経済格差が大きくインフラが不十分なフィリピンの山岳地帯や農漁村部では，近所にあり少量単位で買い求めることのできる伝統的小売業は存続していくのではないだろうか。多国籍企業が新興国でビジネスをするにあたって一番の問題点は，今回のサリサリストアの調査からも明らかになったように，取引額が小さいことにあろう。各人の収入（給料）と比較すると決して少額ではないが，先進国と比較した場合，微々たるものである。それは，対国際的通貨価値の低さから生じているが，経済発展に伴い通貨価値の上昇が期待される。それを見込んで，企業は長期的展望をもってビジネスに取り組んでいくことが求められる。

3. 結びとして

　本書は，サリサリストアがフィリピン市場，特にBOP層の購買活動や多数を占める女性店主にとって不可欠であることを解明した。企業はこのサリサリストアを媒体として，地元の人々の力を最大限に生かしながら市場参入をすることが望まれる。また多国籍企業はサリサリストアを通した流通システムに着目して事業を進めるべきであるが，それと同時にそのローカルシステムや人々の仕事を保全することが必要であろう。多国籍企業は，BOP消費者のウォンツやマーケティング，地元の人々とのネットワークづくりに精通したサリサリストアに注目してビジネス手法にいかすことが望まれる。例えば，ボランタリー・チェーン店の運営などが考えられる。ボランタリー・チェーンとは，事業の効率化を図ることを目的に小売業者や卸売業者が組織化した事業形態である。商品の仕入れや設備投資などを共同で行う。

　本書は，フィリピンの限られた地域における調査によるが，サリサリストア店主へのインタビューや，搬入時の様子を観察することによって得たファインディングは多い。また加工飲料食品の流通チャネルのパターンについても明ら

かにすることができた。

　今後の課題として，まず近代的小売業の卸売業者についてもインタビューを重ねていきフィリピンにおける卸売業の実態について，さらに詳細を把握することがあげられる。また工場出荷から最終消費者に商品が到達するまでの流通システムの中で，卸売，販売代理店，小売店のそれぞれが利益を得るしくみを明確にしたい。

　次に，国際比較史的にみて，サリサリストアのような存在は，ある発展段階において他国でも同様に出現するものなのか，もしくはある段階を過ぎると役割を終えて，別のタイプにその機能をゆだねてゆくことになるのかについても，今後明らかにしていきたい。

　さらに，他国との比較（歴史的国際比較）や製造会社のフィリピンにおける販売方法やチャネルについて他国と比較すること，そして，この研究調査が国際マーケティング論研究においてどのように位置づけられるのか，どのように展開されるべきかについて検討していくことも今後の課題である。

【参考文献】

（書籍・論文・報告書）

Anderson, J. and Billow, N.（2007），"Serving the world's poor: innovation at the base of the economic pyramid", *Journal of Business Strategy*, Vol.28, Iss:2, pp.14-21.

Chandler, A.D.（1977），鳥羽欽一郎・小林袈裟治訳『経営者の時代（上）』東洋経済新報社，1979 年。

Chen, K.（1997），"The Sari-Sari store: Informal retailing in the Philippines", *Journal of Small Busines Management*, Vol.35（4），pp.88-92.

Digal L.N.（2001），"An Analysis of the Structure of the Philippine retail food industry", *Philippine Journal of Development*, Vol. 28, Num. 51, No.1, pp.13-54.

Euromonitor International, *World Retail Data and Statistics*, Euromonitor International Ltd., London. 各年版。

Eyring, M.J., Johnson, M.W and Nair, H.（2011），"New Business Models In Emerging Market", *Harvard Business Review*, January-February 2011, pp.89-95.

Hammond, A. et al.（2007），*The Next 4 Billion: Market Size and Business Strategy at the Base of the Pyramid*, World Resources Institute and International Finance Corporation, Washington.

Hart, S.（2007），Capitalism at the Crossroads: Aligning Business, Earth, and Humanity, Wharton School Publishing, New Jersey.

Karamchandani, A., Kubzansky, M. and Lalwani, N.（2011），"Is the Bottom of the Pyramid Really for you?", *Harvard Business Review*, March 2011, pp.107-111.

Karnani A.（2007），"The Mirage of Marketing to the Bottom of the Pyramid: Serving the World's Poor, Profitably", *Harvard Business Review*, September 2002, pp.48-57.

Philippine Statistics Authority（2019），*The Philippines in Figures 2019*, Philippine Statistics Authority.

Philippine Statistics Authority（2016），*The Philippines in Figures 2016*, Philippine Statistics Authority.

Philippine Statistics Authority（2015），*The Philippines in Figures 2015*, Philippine Statistics Authority.

Porter, G. and Livesay, H.C.（1971），*Merchants and Manufacturers: Studies in the Changing Structure of Nineteeth-Century Marketing*, The John Hopkins Press Maryland, 山中豊国・中野安・光沢滋朗訳『経営革新と流通支配―生成期マーケティングの研究』ミネルヴァ書房, 1983 年。

Prahalad, C.K.（2004），*The Fortune at the Bottom of the Pyramid: Eradicating Poverty Through Profits*, Wharton School Publishing, New Jersey, スカイライ

156

トコンサルティング訳『ネクスト・マーケット─「貧困層」を顧客に変えるビジネス戦略─』英治出版, 2005 年。

Prahalad, C.K. and Hart S. (2002), "The Fortune at the Bottom of the Pyramid", Strategy and Business, Issue 26, 2002, pp.54-67.

Prahalad, C.K. and Liberthal, K. (1998), "The end of Corporate Imperialism", *Harvard Business Review,* July-August 1998, pp.68-79.

Rangan, V.K., Chu, M. and Petkoski, D. (2011), "Segmenting the Base of the Pyramid", *Harvard Business Review*, June 2011, pp.113-117.

Rangan, V.K. (2006), *Transforming your go-to-market strategy : The three disciplines of channel management*, Harvard Business School Press: Boston.

Simanis, E. (2010), "Needs, Needs, Everywhere, But Not a BOP Market to Tap", in *Next Generation Business Strategies for the Base of the Pyramid: New Approaches for Building Mutual Value*, London, T. and Havt, S.L. (eds.), FT Press, New Jersey, pp.103-128.

The Fookien Times Yearbook Publishing (2016), *Philippine Business and Government The Philippines Year Book 2015-2016*, Manila.

Trade and Industry Information Center, Department of Trade & Industry Philippines (2004), "Sari-sari stores beat supermarkets in retail sales", *Dataline*, May 24, 2004, Vol.8, No.11, pp.5-6.

Wittereich, W.J (1962), "Misunderstanding the Retailer", *Harvard Business Review*, May-June, pp.147-159.

石川雅啓・倉沢麻紀（2014）「小売業は一定規模以下で外資参入を禁止（フィリピン）」『アジアにおける卸売・小売・物流業に対する外資規制比較』日本貿易振興機構, pp.23-25。

石原武政・矢作敏行編（2004）『日本の流通 100 年』有斐閣。

糸園辰雄（1983）『現代の中小企業問題』ミネルヴァ書房。

岩永忠康監修（2017）『アジアと欧米の小売商業－理論・戦略・構造－』五絃舎。

ARC 国別情勢研究会（2020）『ARC レポート　フィリピン 2020/21 年版』ARC 国別情勢研究会。

ARC 国別情勢研究会（2016）『ARC レポート　フィリピン 2016/17 年版』ARC 国別情勢研究会。

ARC 国別情勢研究会（2010）『ARC レポート　フィリピン 2010/11 年版』ARC 国別情勢研究会。

大石芳裕・久保田勝美（2014）「フィリピン進出企業の人事戦略 ─ユニクロ・フィリピンの事例」『月刊グローバル経営』4 月号, No. 377, 日本在外企業協会, pp.22-55。

岡田仁孝（2005）「企業の社会的責任（CSR）と人権（下）」『世界経済評論』12 月号, pp.34-44。

桂木麻也（2015）『ASEAN 企業地図』翔泳社。

川津のり（2012）「ASEAN 成長国の生活者動向と小売市場の拡大」『知的資産創造』11 月号,

　　野村総合研究所，pp.56–57。

鈴木典比古（1989）『国際マーケティング―理論・構造・戦略への挑戦―』同文舘出版。

大和総研（2015）『平成 26 年度商取引適正化・製品安全に係る事業（アジア小売市場の
　　実態調査）』，経済産業省委託調査, 大和総研。

田口冬樹（2011）「4-3 卸売業の機能」（加藤義志監修『現代流通事典〔第 2 版〕』白桃書房），
　　pp.102-103。

田村正紀（2001）『流通原理』千倉書房。

田村正紀（1986）『日本型流通システム』千倉書房。

田村正紀（1981）『大型店問題―大型店紛争と中小小売商業近代化』千倉書房。

出家健治（2002）『零細小売業研究－理論と構造－』ミネルヴァ書房。

中西徹（1991）『スラムの経済学』東京大学出版会。

日本貿易振興機構（ジェトロ）農林水産・食品部農林水産・食品調査課（2012）
　　『平成 23 年度フィリピンにおける日本食品の市場動向調査』日本貿易振興機構。

日本貿易振興機構（ジェトロ）マニラ事務所（2016）
　　『フィリピンにおける小売・サービス産業基礎調査』日本貿易振興機構。

日本貿易振興機構（ジェトロ）マニラ事務所（2011）
　　『フィリピンにおけるサービス産業基礎調査』日本貿易振興機構。

野沢勝美（2009）「第 43 章　小口経済」，（大野拓司・寺田勇文編『エリア・スタディーズ
　　11 現代フィリピンを知るための 61 章〔第 2 版〕』赤石書店），pp.212-215。

舟橋豊子（2017c）「第 13 章　フィリピンの流通と日系専門店」（柳純・鳥羽達郎編『日
　　系小売企業のアジア展開―東アジアと東南アジアの小売動態』中央経済社），pp.208-
　　222。

舟橋豊子（2017b）「第 5 章　キリンホールディングスの東南アジア市場参入戦略」（大石芳
　　裕編著『グローバル・マーケティング零』白桃書房），pp.79-93。

舟橋豊子（2017a）「第 10 章　フィリピンの小売商業」（岩永忠康監修『アジアと欧米の小
　　売商業―理論・戦略・構造―』五絃舎），pp.193-206。

舟橋豊子（2016）「フィリピンにおける卸売業の役割と機能－ルソン島の山岳地帯と都市
　　部の加工食品流通調査から－」『流通』No.39, 日本流通学会, pp.55-65。

舟橋豊子（2015b）「フィリピンにおける日系企業のチャネル構造－フィリピン・ヤクル
　　トを事例として－」『長崎県立大学経済学部論集』第 49 巻 第 2 号，長崎県立大学,
　　pp.41-56。

舟橋豊子（2015a）「第 8 章　チャネル戦略」（大石芳裕編著『マーケティング零』白桃書房），
　　pp.123-136。

舟橋豊子（2013）「フィリピンの BOP 市場における流通と消費－ルソン島，レイテ島，サ
　　マール島のサリサリストアを中心に－」『流通』No.32, 日本流通学会, pp.35-43。

舟橋豊子（2012）「BOP 市場における流通と消費の実態―フィリピンのサリサリストアを
　　事例にして」『経営学研究論集』第 37 号，明治大学大学院, pp.67-85。

舟橋豊子（2011b）「BOP ビジネスの再考」『経営学研究論集』第 36 号，明治大学大学院,
　　pp.199-212。

158

舟橋豊子 (2011a)「BOP ビジネスとフィリピン市場の可能性」『経営学研究論集』第 35 号，明治大学大学院，pp.39-57。

三木睦彦 (1993)『フィリピン』泰流社。

森下二次也 (1970)『現代商業経済論』有斐閣。

保田芳昭 (1988)「現代流通の展望」(保田芳昭・加藤義忠編『現代流通論入門』有斐閣)。

吉崎猛 (2014)「フィリピン進出のための基礎知識―日外協『海外派遣者ハンドブック (フィリピン編) 発刊」』『月刊グローバル経営』4 月号，No.377，日本在外企業協会，pp.4-9。

米川伸一 (1981)『世界の財閥経営』日経新書。

(Web ページ，新聞)

Alfamart, https://alfamart.co.id/ (最終閲覧日：2021 年 1 月 30 日)。

Alfamart, https://www.alfamart.com.ph/ (最終閲覧日：2021 年 1 月 30 日)。

Ayala, http://www.ayala.com.ph (最終閲覧日：2021 年 1 月 30 日)。

Ayala, "2019 Integrated Report", https://www.ayala.com.ph/sites/default/files/pdfs/Ayala%20Corporation%202019%20Integrated%20Report%20-%20ASD.pdf (最終閲覧日：2021 年 1 月 30 日)。

Ayala Malls, https://www.ayalamalls.com/ (最終閲覧日：2021 年 1 月 30 日)。

Bangko Sentral ng Pilipinas, "Selected economic indicators", http://www.bsp.gov.ph/statistics (最終閲覧日：2014 年 10 月 30 日)。

BMI Research, http://store.bmiresearch.com/Philippines-retail-report.htm (最終閲覧日：2016 年 7 月 20 日)。

Daiso Japan, http://www.daisoglobal.com/store/list/?c_id=C0028 (最終閲覧日：2016 年 8 月 31 日)。

Del Monte Pacific, "About Us", https://www.delmontepacific.com/about-us/markets-and-operations (最終閲覧日：2021 年 1 月 30 日)。

Del Monte Pacific, "Shareholders", https://www.delmontepacific.com/about-us/company-structures (最終閲覧日：2021 年 1 月 30 日)。

Department of Trade and Industry, http://www.dti.gov.ph (最終閲覧日：2021 年 1 月 30 日)。

Financial Data Book, "Financial Data Book (FY2000-FY2019) ", http://www.yakult.co.jp/english/ir/management/FinancialDataBook.html (最終閲覧日：2021 年 1 月 30 日)。

Ivey Management Services (2009) , "Reinventing the San Miguel Corporation", Ivy Publishing, Version (A) 2009-09-22, https://www.iveycases.com/Handlers/Download.ashx?id=34358 (最終閲覧日：2012 年 1 月 5 日)。

JG Summit Holdings, https://www.jgsummit.com.ph/ (最終閲覧日：2021 年 1 月 30 日)。

JG Summit Holdings, "Company Profile", https://www.jgsummit.com.ph/our-company/company-profile?ref=nav_corporate_company_profile (最終閲覧日：2021 年 1 月 30 日)。

Lawson, "Stores", http://lawson-philippines.com/store-locator/ (最終閲覧日：2021 年 1 月 30 日)。

LT Group, Press Release, "Asia Brewery and Heineken realign partnership", https://ltg.com.ph/wp-content/uploads/bsk-pdf-manager/2020/10/2020-Oct-13.-Press-Release-re-ABI-and-Heineken-realign-partnership.pdf （最終閲覧日：2021 年 1 月 30 日）。

MUJI, "Store Locator", http://www.muji.com/storelocator/?c=ph （最終閲覧日：2021 年 1 月 30 日）。

Nestlé Philippines, https://www.nestle.com.ph/ （最終閲覧日：2021 年 1 月 30 日）。

Nestlé Philippines, "History",
　http://www.nestle.com.ph/aboutus/history （最終閲覧日：2021 年 1 月 30 日），
　http://www.nestle.com/aboutus/history/nestle-company-history （最終閲覧日：2021 年 1 月 30 日）。

Nestlé Philippines, http://nestle.com.ph/Pages/Nestle.aspx（最終閲覧日：2011 年 4 月 17 日）。

Nestlé Philippines, "Creating Shared Value, Agriculture Rural Development", http://nestle.com.ph/CSV/AgricultureRuralDevelopment/Pages/AgricultureRuralDevelopment.aspx （最終閲覧日：2011 年 4 月 17 日）。

Philippine National Statistics Office, http://www.web0.psa.gov.ph （最終閲覧日：2014 年 11 月 10 日）。

Philippine Seven Corporation, "Investor Briefing", http://www.7-eleven.com.ph/wp-content/uploads/2016/08/PSC-Investor-Presentation-Materials-October-2014.pdf （最終閲覧日：2021 年 1 月 30 日）。

Philippine Statistics Authority, "Economic Accounts", http://www.gov.ph/report/gdp/ （最終閲覧日：2016 年 4 月 20 日）。

Philippine Statistics Authority, "National Accounts of the Philiippines", https://www.psa.gov.ph/sites/default/files/2HFCE_93SNA_qtrly.xlsx （最終閲覧日：2021 年 1 月 30 日）。

Philippine Statistics Authority, "Philippine Population Surpassed the 100 Million Mark（Results from the 2015 Census of Population）", https://psa.gov.ph/population-and-housing/title/Philippine%20Population%20Surpassed%20the%20100%20Million%20Mark%20%28Results%20from%20the%202015%20Census%20of%20Population%29 （最終閲覧日：2021 年 1 月 30 日）。

Puregold, http://www.puregold.com.ph （最終閲覧日：2016 年 6 月 30 日）。

Retailing：Philippines, http://www.fastretailing.com/eng/group/strategy/philippines.html （最終閲覧日：2016 年 11 月 20 日）。

Robinsons Land, http://www.robinsonsland.com （最終閲覧日：2021 年 1 月 30 日）。

Robinsons Retail Holdings, http://www.robinsonsretailholdings.com.ph/our-company/organizational-structure （最終閲覧日：2021 年 1 月 30 日）。

Rustan's, http://www.rustans.com.ph （最終閲覧日：2021 年 1 月 30 日）。

Rustan's, "About Us, https://rustans.com/pages/about-us（最終閲覧日：2021 年 1 月 30 日）。

San Miguel, "2010 ANNUAL REPORT", http://www.sanmiguel.com.ph/wpcontent/aria_2010/index_ie.htm F （最終閲覧日：2012 年 1 月 10 日）。

San Miguel, "Our Company", https://www.sanmiguel.com.ph/page/our-company-inner

（最終閲覧日：2021 年 1 月 30 日）。

San Miguel Brewery,"News", https://www.sanmiguelbrewery.com.ph/news/news/san-mig-cola-makes-a-splash（最終閲覧日：2021 年 1 月 30 日）。

San Miguel Brewery,"Plants and Facilities",
http://sanmiguelbrewery.com.ph/plantsandfacilities.php（最終閲覧日：2017 年 8 月 12 日）。
https://www.sanmiguelbrewery.com.ph/production-facilities/philippine-plants-and-facilities（最終閲覧日：2021 年 1 月 30 日）

San Miguel Brewery,"Regional Offices", http://sanmiguelbrewery.com.ph/our_breweries02.php（最終閲覧日：2021 年 1 月 30 日）。

San Miguel Corporation,"Disclosures", https://www.sanmiguel.com.ph/files/reports/PSE-San_Miguel_eyes_take_over_NAIA_12.18_.2020_.pdf（最終閲覧日：2021 年 1 月 30 日）。

SM Investments Corporation,"About Us", https://www.sminvestments.com/about-us/（最終閲覧日：2021 年 1 月 30 日）。

SM Investments Corporation, "Our Company",https://www.sminvestments.com/about-us/at-a-glance/（最終閲覧日：2021 年 1 月 30 日）。

SM Investmetns Corporation,"SM Retail", https://www.sminvestments.com/about-us/our-investments/retail/（最終閲覧日：2021 年 1 月 30 日）。

SM Mall, https://www.smsupermalls.com/whats-new/sm-prime-recognized-again-in-the-top-ten-successful-asean-enterprises-entering-china/（最終閲覧日：2021 年 1 月 30 日）。

The Coca-Cola Company, Press Releases,http://www.thecoca-colacompany.com/dynamic/press_center/2010/09/the-coca-cola-company-commits-new-investments-of-us1b-in-the-philippines.html（最終閲覧日：2011 年 11 月 10 日）

The Coca-Cola Company, https://www.coca-colacompany.com/home（最終閲覧日：2021 年 1 月 30 日）。

The Tondo, http://www.manila-map.com/ （最終閲覧日：2021 年 1 月 30 日）。

The World Bank, "Philippines Economic Update October 2019", https://www.worldbank.org/en/country/philippines/publication/philippines-economic-update-october-2019-edition（最終閲覧日：2021 年 1 月 30 日）。

The World Bank, "Piecing together the poverty puzzle", https://openknowledge.worldbank.org/bitstream/handle/10986/30418/9781464813306.pdf（最終閲覧日：2021 年 1 月 30 日）。

The World Bank, "Poverty headcount ratio at $1.25 a day (PPP)（% of population ", http://data.worldbank.org/indicator/SI.POV.GAPS（2006 年データ）（最終閲覧日：2015 年 10 月 8 日）。

The World Bank, "Poverty headcount ratio at $2 a day (PPP)（% of population)", http://data.worldbank.org/indicator/SI.POV.2DAY（2006 年データ）（最終閲覧日：2015 年 10 月 8 日）。

Unilever Philippines, https://www.unilever.com.ph/（最終閲覧日：2021 年 1 月 30 日）。

Unilever Philippines,"Clean Water Sustainability",http://www.unilever.com.ph/sustainability/ environment/cleanwatersustainability/default.aspx（最終閲覧日：2011 年 4 月 17 日）。

Unilever Philippines, "Our Brands, Cream Silk", http://www.unilever.com.ph/brands/personalcarebrands/cream_silk.aspx（最終閲覧日：2011 年 4 月 17 日）。 https://www.unilever.com.ph/brands/our-brands/creamsilk.html（最終閲覧日：2021 年 1 月 30 日）。

Unilever Philippines, "Our Brands, Knorr", http://www.unilever.com.ph/brands/foodbrands/knorr.aspx（最終閲覧日：2011 年 4 月 17 日）。 https://www.unilever.com.ph/brands/our-brands/knorr.html（最終閲覧日：2021 年 1 月 30 日）。

Unilever Philippines, "Our Brands, Lipton",http://www.unilever.com.ph/brands/ foodbrands/lipton.aspx（最終閲覧日：2011 年 4 月 17 日）。

United Nations, "Department of Economic and Social Affairs Population Dynamics", https://population.un.org/wpp/Download/Standard/Population/（最終閲覧日：2021 年 1 月 30 日）。

United Nations, "Department of Economic and Social Affairs Population Dynamics", https://population.un.org/wup/Country-Profiles/（最終閲覧日：2021 年 1 月 30 日）。

Walter Mart, "Malls", https://waltermart.com.ph/waltermart_malls（最終閲覧日：2021 年 1 月 30 日）。

Yakult Honsha,"Yakult Annual Report 2012", http://www.yakult.co.jp/english/ir/ management/pdf/ar2012.pdf（最終閲覧日：2021 年 1 月 30 日）。

Yakult Philippines, "Map",http://www.yakult.com.ph/yakult_distributor.asp （最終閲覧日：2013 年 10 月 10 日）。

アサヒグループホールディングス,「月次販売情報 2012 年 8 月」, https://www.asahigroup-holdings.com/ir/financial_data/monthly201208.html（最終閲覧日：2021 年 1 月 30 日）。

外務省，「国連ミレニアム開発目標」, http://www.mofa.go.jp/mofaj/gaiko/oda/doukou/ mdgs.html　（最終閲覧日：2021 年 1 月 30 日）。

外務省,「最近のフィリピン情勢と日・フィリピン関係」, https://www.mofa.go.jp/mofaj/ area/philippines/kankei.html（最終閲覧日：2021 年 1 月 30 日）。

外務省，「フィリピン基礎データ」, http://www.mofa.go.jp/mofaj/area/philippines/data.html （最終閲覧日：2021 年 1 月 30 日）。

キリンホールディングス, http://www.kirinholdings.co.jp/（最終閲覧日：2021 年 1 月 30 日）。

国立社会保障・人口問題研究所,「人口統計資料集 2018」, http://www.ipss.go.jp/ syoushika/bunken/data/pdf/jinkokenshiryu338.pdf（最終閲覧日：2021 年 1 月 30 日）。

サタケ , ニュースリリース, https://satake-japan.co.jp/news/new-release/news120912. html（最終閲覧日：2021 年 1 月 30 日）。

JICA ナレッジサイト, http://gwweb.jica.go.jp/km/FSubject1101.nsf/3b8a2d403517ae454 9256f2d002e1dcc/3c957bb16c4aee9b49256d55002d5880/$FILE/%E3%83%97%E3% 83%AD%E3%83%95%E3%82%A1%E3%82%A4%E3%83%AB03.pdf（最終閲覧日：20

17 年 12 月 6 日）。

セブン - イレブン・ジャパン，「セブン - イレブンの横顔 2020-2021」，https://www.sej.
co.jp/library/common/pdf/yokogao2020-21_all.pdf（最終閲覧日：2021 年 1 月 30 日）。

ダイソー，http://www.daiso-sangyo.co.jp/company/profile/history.html（最終閲覧
日：2016 年 8 月 31 日）。

ダイソー，「会社概要」，https://www.daiso-sangyo.co.jp/company/prof_hist（最終閲覧
日：2021 年 1 月 30 日）。

日本貿易振興機構（ジェトロ），「フィリピン」，http://www.jetro.go.jp/world/asia/ph/（最
終閲覧日：2021 年 1 月 30 日）。

日本貿易振興機構（ジェトロ），「2019 年の在外フィリピン人の送金額，過去最高の 301 億
ドル」，https://www.jetro.go.jp/biznews/2020/03/077518cefc6527a9.html（最終閲
覧日：2021 年 1 月 30 日）。

日本貿易振興機構（ジェトロ），「フィリピン」，https://www.jetro.go.jp/ext_images/world/
gtir/2020/10.pdf（最終閲覧日：2021 年 1 月 30 日）。

日本貿易振興機構（ジェトロ），「フィリピン進出に関する基本的なフィリピンの制度：
外資に関する規制」，http://www.jetro.go.jp/world/asia/ph/invest_02（最終閲覧
日：2021 年 1 月 30 日）

日本貿易振興機構（ジェトロ），「フィリピンにおける小売・サービス業調査」，
https://www.jetro.go.jp/ext_images/_Reports/02/2016/454becb457c89b2e/
retail_service_ph201603.pdf（最終閲覧日：2021 年 1 月 30 日）。

日本貿易振興機構（ジェトロ）農林水産・食品部 農林水産・食品調査課（2012），「平成
23 年度 フィリピンにおける日本食品の市場動向調査」，http://www.jetro.go.jp/
jfile/report/07000893/Philippines_JapaneseFoodMarket2012.pdf（最終閲覧日：2021
年 1 月 30 日）。

ファーストリテイリング，「グループ店舗一覧」，http://www.fastretailing.com/jp/about/
business/shoplist.html（最終閲覧日：2021 年 1 月 30 日）。

ファミリーマート，「統合レポート 2019」，https://www.family.co.jp/content/dam/family/
ir/library/annual/document/UFHD_AR19J_all.pdf（最終閲覧日：2021 年 1 月 30 日）。

ファミリーマート，「ファミリーマートがフィリピンに初出店，2013 年」，https://www.
family.co.jp/company/news_releases/2013/20130405_01.html（最終閲覧日：2021
年 1 月 30 日）。

フィリピン経済・金融・投資情報，http://ph.isajijournal.com/japanese-foreign- capital/4862-
follow-up-muji-opened-store-in-the-philippines-4.html（最終閲覧日：2016 年 8 月 31 日）。

フィリピンプライマー，「『キリン一番搾り』絶好調，樽詰生ビール新発売」，
https://primer.ph/economy/top_news/kirin-ichiban-shibori-is-in-good-
condition-new-barreled-beer-newly-released/（最終閲覧日：2021 年 1 月 30 日）。

フィリピンプライマー，「17 年の比ヤクルト販売 13％増，4 年連続二桁増加」，https://
primer.ph/economy/top_news/2017-philippines-yakult-sell-increase/（最終閲覧
日：2021 年 1 月 30 日）。

フィリピンプライマー,「第 21 回ビジネス烈伝 / 代野照幸さん」, https://primer.ph/column/genre/business/post_107/（最終閲覧日：2021 年 1 月 30 日）。

フィリピンプライマー,「比セブン 6 月末 2,930 店で断トツも 4 億ペソの赤字に」, https://primer.ph/economy/top_news/psc-in-the-philippinse-disclose-the-latest-information/（最終閲覧日 2021 年 1 月 30 日）。

フィリピンプライマー,「フィリピンサンミゲルの飲食事業の大統合が完成」, https://primer.ph/economy/top_news/philippines-san-miguel-restaurant-business/（最終閲覧日：2021 年 1 月 30 日）。

プラネット, http://www.planet-van.co.jp/（最終閲覧日：2021 年 1 月 30 日）

三越伊勢丹ホールディングス,「レポート 2019〔第 2 版〕」, https://s3-ap-northeast-1.amazonaws.com/sustainability-cms-imhds-s3/pdf/2019_2_db_all.pdf（最終閲覧日：2021 年 1 月 30 日）。

ミニストップ, https://www.ministop.co.jp/（最終閲覧日：2021 年 1 月 30 日）。

ミニストップ,「店舗数一覧」, http://www.ministop.co.jp/corporate/about/shop/（最終閲覧日：2021 年 1 月 30 日）。

ヤクルト本社,「株式基本情報」, https://www.yakult.co.jp/company/ir/stock/basic.html（最終閲覧日：2021 年 1 月 30 日）。

ヤクルト本社,「国際事業展開」, http://www.yakult.co.jp/global/（最終閲覧日：2021 年 1 月 30 日）。

ヤクルト本社,「長期財務・業績データ 2001 年 3 月期〜 2020 年 3 月期」, https://www.yakult.co.jp/company/ir/finance/data/connections_2020.pdf（最終閲覧日：2021 年 1 月 30 日）。

ヤクルト本社,「2019 年 3 月期決算短信補足説明資料」, https://www.yakult.co.jp/company/ir/finance/results/pdf_tanshin/19_04_hosoku.pdf（最終閲覧日：2021 年 1 月 30 日）。

ヤクルト本社,「Yakult 会社概要 2020-2021」, https://www.yakult.co.jp/company /pdf/company2020-2021.pdf（最終閲覧日：2021 年 1 月 30 日）。

ヤクルト本社,「ヤクルトの概況」, https://www.yakult.co.jp/company/pdf/gaikyo2020.pdf#page=33（最終閲覧日：2021 年 1 月 30 日）。

良品計画,「ニュースリリース」, https://ryohin-keikaku.jp/news/2017_0120.html（最終閲覧日：2021 年 1 月 30 日）。

ローソン,「AC Infrastructure Holdings Corporation とローソンが業務提携合意」, https://www.lawson.co.jp/company/news/detail/1388411_2504.html（最終閲覧日：2021 年 1 月 30 日）。

ローソン,「2014 年, フィリピンに『ローソン』オープン」https://www.lawson.co.jp/company/news/detail/1246648_2504.html（最終閲覧日：2021 年 1 月 30 日）。

NNA ASIA,「コカ・コーラ現法, 米本社に事業売却」, https://www.nna.jp/news/show/1802242（最終閲覧日：2021 年 1 月 30 日）。

NNA ASIA,「サンミゲルが巨額投資, キリンと飲料生産も」, https://www.nna.jp/news/show/56875（最終閲覧日：2021 年 1 月 30 日）。

NNA ASIA,「新マニラ国際空港，1〜3月に土地造成開始」, https://www.nna.jp/news/show/2131192（最終閲覧日：2021年1月30日）。

NNA ASIA,「ローソン，現法ＰＧローソンを完全子会社化」, https://www.nna.jp/news/show/1756659（最終閲覧日：2021年1月30日）。

『日本経済新聞』2017年2月13日「キリン，ブラジル事業の売却発表。ハイネケンに770億円で」。

『日本経済新聞』2016年8月19日「フィリピン，消費が支え」。

『日本経済新聞』2016年8月19日「三越伊勢丹　フィリピン進出」。

日本経済新聞,「キリンHD，サンミゲルと提携拡大　清涼飲料水を共同開発」, 2015年7月3日, https://www.nikkei.com/article/DGXLASDZ03HVM_T00C15A7TI5000/（最終閲覧日：2021年1月30日）。

日本経済新聞,「サンミゲルブルワリー，自主的上場廃止を決定」, 2013年2月18日, https://www.nikkei.com/article/DGXNASGM1803X_Y3A210C1FF2000/（最終閲覧日：2021年1月30日）。

日本経済新聞,「ハイネケン，フィリピンで合弁」, 2016年5月27日, https://www.nikkei.com/article/DGXLASDX27H1U_X20C16A5FFE000（最終閲覧日：2021年1月30日）。

日本経済新聞,「比ファミリーマート，現地石油会社が買収へ」, 2017年10月30日, https://www.nikkei.com/article/DGXMZO22882940Q7A031C1TJ1000（最終閲覧日：2021年1月30日）。

日本経済新聞,「三菱商事，比のミニストップ保有株売却」, 2018年9月5日, https://www.nikkei.com/article/DGXMZO35017300V00C18A9XQ9000（最終閲覧日：2021年1月30日）。

【初出一覧表】

本書の各章は以下の単著の論文をベースに大幅に加筆・改稿をしたものである。

序章　舟橋豊子 (2017c)「第13章　フィリピンの流通と日系専門店」(柳純・鳥羽達郎編『日系小売企業のアジア展開―東アジアと東南アジアの小売動態』中央経済社), pp.208-222。

舟橋豊子 (2017a)「第10章　フィリピンの小売商業」(岩永忠康監修『アジアと欧米の小売商業―理論・戦略・構造―』五絃舎), pp.193-206。

舟橋豊子 (2016)「フィリピンにおける卸売業の役割と機能―ルソン島の山岳地帯と都市部の加工食品流通調査から―」『流通』No.39, 日本流通学会, pp.55-65。

舟橋豊子 (2015a)「第8章　チャネル戦略」(大石芳裕編著『マーケティング零』白桃書房), pp.123-136。

舟橋豊子 (2011b)「BOP ビジネスの再考」『経営学研究論集』第36号, 明治大学大学院, pp.199-212。

第1章　舟橋豊子 (2012)「BOP 市場における流通と消費の実態―フィリピンのサリサリストアを事例にして」『経営学研究論集』第37号, 明治大学大学院, pp.67-85。

舟橋豊子 (2011b)「BOP ビジネスの再考」『経営学研究論集』第36号, 明治大学大学院, pp.199-212。

舟橋豊子 (2011a)「BOP ビジネスとフィリピン市場の可能性」『経営学研究論集』第35号, 明治大学大学院, pp.39-57。

第2章　舟橋豊子 (2017c)「第13章　フィリピンの流通と日系専門店」(柳純・鳥羽達郎編『日系小売企業のアジア展開―東アジアと東南アジアの小売動態』中央経済社), pp.208-222。

舟橋豊子 (2017a)「第10章　フィリピンの小売商業」(岩永忠康監修『アジアと欧米の小売商業―理論・戦略・構造―』五絃舎), pp.193-206。

第3章　舟橋豊子 (2012)「BOP 市場における流通と消費の実態――フィリピンのサリサリストアを事例にして」『経営学研究論集』第37号, 明治大学大学院, pp.67-85。

舟橋豊子 (2011b)「BOP ビジネスの再考」『経営学研究論集』第36号, 明治大学大学院, pp.199-212。

舟橋豊子 (2011a)「BOP ビジネスとフィリピン市場の可能性」『経営学研究論集』第35号, 明治大学大学院, pp.39-57。

第4章　　舟橋豊子 (2016)「フィリピンにおける卸売業の役割と機能－ルソン島の山岳地帯と都市部の加工食品流通調査から－」『流通』No.39，日本流通学会，pp.55-65。

舟橋豊子 (2013)「フィリピンの BOP 市場における流通と消費－ルソン島，レイテ島，サマール島のサリサリストアを中心に－」『流通』No.32，日本流通学会，pp.35-43。

舟橋豊子 (2012)「BOP 市場における流通と消費の実態―フィリピンのサリサリストアを事例にして」『経営学研究論集』第 37 号，明治大学大学院，pp.67-85。

第5章　　舟橋豊子 (2016)「フィリピンにおける卸売業の役割と機能－ルソン島の山岳地帯と都市部の加工食品流通調査から－」『流通』No.39，日本流通学会，pp.55-65。

舟橋豊子 (2013)「フィリピンの BOP 市場における流通と消費－ルソン島，レイテ島，サマール島のサリサリストアを中心に－」『流通』No.32，日本流通学会，pp.35-43。

舟橋豊子 (2012)「BOP 市場における流通と消費の実態―フィリピンのサリサリストアを事例にして」『経営学研究論集』第 37 号，明治大学大学院，pp.67-85。

舟橋豊子 (2011a)「BOP ビジネスとフィリピン市場の可能性」『経営学研究論集』第 35 号，明治大学大学院，pp.39-57。

第6章　　舟橋豊子 (2017b)「第 5 章　キリンホールディングスの東南アジア市場参入戦略」(大石芳裕編著『グローバル・マーケティング零』白桃書房)，pp.79-93。

舟橋豊子 (2015b)「フィリピンにおける日系企業のチャネル構造－ヤクルトフィリピンを事例として－」『長崎県立大学経済学部論集』第 49 巻 第 2 号，長崎県立大学，pp.41-56。

舟橋豊子 (2011b)「BOP ビジネスの再考」『経営学研究論集』第 36 号，明治大学大学院，pp.199-212。

終章　　　舟橋豊子 (2017a)「第 10 章　フィリピンの小売商業」(岩永忠康監修『アジアと欧米の小売商業―理論・戦略・構造―』五絃舎)，pp.193-206。

舟橋豊子 (2013)「フィリピンの BOP 市場における流通と消費－ルソン島，レイテ島，サマール島のサリサリストアを中心に－」『流通』No.32，日本流通学会，pp.35-43。

舟橋豊子 (2012)「BOP 市場における流通と消費の実態―フィリピンのサリサリストアを事例にして」『経営学研究論集』第 37 号，明治大学大学院，pp.67-85。

舟橋豊子 (2011b)「BOP ビジネスの再考」『経営学研究論集』第 36 号，明治大学大学院，pp.199-212。

【添付資料】

1. インタビュー票 "Questions of sari-sari stores research"

A. Interviewing shopkeepers about sari-sari stores
① Operation time, store name, address, phone number, business hours, holidays
② The geographical convenience : ⋯minutes from ⋯station on foot
Site : 1 floor, about ⋯ square meter etc
③ The numbers of staff
④ The class of visitors : ex The poor - middle class layer. There are many neighborhood inhabitants, women of 20 years to 30 years etc

B. Interviewing shopkeepers
① A person's name(initial), age, sex
② storekeeper's number of family, family constitution, educational background of the storekeeper, previous jobs, hometown
③ The reasons/triggers you opened the sari-sari store
How much money did you spend for starting a business?
Was it savings or debts? Who paid the amount?
④ Do you buy goods from dealers or direct(straight from companies)?
⑤ How often suppliers come to your store per day/week? What kinds of suppliers; companies name/wholesalers/vendors ?
How much do you pay by cash to suppliers per day/week/month?
How much do you pay by credit to suppliers per day/week/month?
Do you pay to suppliers the amount of goods you buy or do you pay to suppliers the amount you could sell your customers?
How do you get the goods you sell? (volumes for one day/week/month, a discount method)
⑥ Where do you go shopping for getting items to sell in your store?
How often do you go out for getting items to sell in your store per day/week/month?
How much do you pay by cash to supermarkets etc per day/week/month?
How much do you pay by credit to supermarkets etc per day/week/month?
How do you get the goods you sell? (volumes for one day/week/month, a discount method)
⑦ How much do customers pay by cash per day/week/month?
How much do customers pay by credit per day/week/month?

168

How do customers get the goods?(volumes for one day/week/month, a discount method)
⑧ Sales and her/his income for one hour/day/week/month
⑨ What do you think about foreign products (quality, price, essential to your business?, distribution(easy to get?))
⑩ Does your life become better by dealing foreign products?
Reason:
⑪ Do you think foreign companies improve/contribute your business?
Reason:

C. Observation of the shops, Interviewing the shopkeepers
① The sketch in the layout of sari-sari stores, the atmosphere in the stores
② The category of the goods (food, medicines etc), kinds (vegetables etc), the brand, the amount
③ Sales methods : selling things loose(one candy etc), sell by measure
④ Displays : shelves, a product exhibition position, exhibition methods: little by little etc
⑤ product prices
⑥ posters, price tags, handouts, the languages

D. Interviewing the suppliers
① A person's name(initial), age, sex, the company name
② Employment form : Self-management, employee of company, contracted employee of company
③ supplier's number of family, family constitution, educational background of the supplier, previous jobs, hometown
④ The reasons/triggers you found this job
How much money did you spend for starting a business?
Was it savings or debts? Who paid the amount?
⑤ Do you buy goods from wholesalers or direct(straight from companies)?
How much do you pay by cash to wholesalers/direct per day/week/month?
How much do you pay by credit to wholesalers/direct per day/week/month?
Do you pay to wholesalers/direct the amount of goods you buy or do you pay to wholesalers/direct the amount you could sell your customers?
⑥ The numbers of visits at sari-sari stores or supermarkets for your jobs for one day/week/month
⑦ If you are a contracted staff or employee, what kind of training have you received?
⑧ How do you get the goods you sell? (volumes for one day/week/month, a

discount method)

⑨ How much do customers (sari-sari stores markets etc) pay by cash per day/ week/month?

How much do customers(sari-sari stores markets etc) pay by credit per day/ week/month?

How do customers(sari-sari stores markets etc) get the goods?(volumes for one day/week/month, a discount method)

⑩ Sales and her/his income for one hour/day/week/month

⑪ What do you think about foreign products (quality, price, essential to your business?, distribution(easy to get?))

⑫ Does your life become better by dealing foreign products?
Reason:

⑬ Do you think foreign companies improve/contribute your business?
Reason:

E. Interviewing the customers

① A person's name(initial), age, sex

② Job : <　　　　　　　>Self-management, employee of company, contracted employee of company, student

③ number of family, family constitution, educational background of the customer, previous jobs, hometown

④ The reasons/triggers you found this job
How much money did you spend for starting a business?
Was it savings or debts? Who paid the amount?

⑤ Your income for one hour/day/week/month

⑥ If you are a contracted staff or employee, what kind of training have you received?

⑦ Where do you buy goods (local markets, SM etc, convenience stores, sari-sari stores)?
Which products do you buy?(sari-sari stores/local market/SM etc/seven eleven etc)
How much do you pay by cash per day/week/month?
How much do you pay by credit per day/week/month?

⑧ How often do you go shopping at sari-sari stores or supermarkets(SM etc) or local markets or convenience stores (Seven Eleven etc) per day/week/month?

⑨ Which foreign products do you know? (five brands)

⑩ What do you think about foreign products (quality, price, essential to your life?, distribution(easy to get?)etc)

⑪ Does your life become better by using foreign products?

Reason:

⑫ Do you think foreign companies improve/contribute your daily lives?
Reason:

【索引（事項）】

【索引（本書に登場する各国の企業）】

著者略歴

舟橋豊子（ふなはし　とよこ）

　　立命館大学政策科学部准教授

　　明治大学大学院経営学研究科博士後期課程修了，博士（経営学）

　　2015 年　長崎県立大学経済学部（旧）専任講師，

　　2016 年　長崎県立大学経営学部専任講師を経て，

　　2018 年より現職

専門：グローバル・マーケティング，フィリピンの地域経済・流通

主著：『日系小売企業のアジア展開－東アジアと東南アジアの小売動態－』中央経済
　　　社，2017 年（分担執筆），『アジアと欧米の小売商業－理論・戦略・構造－』五
　　　絃舎，2017 年（分担執筆），『グローバル・マーケティング零』白桃書房，2017
　　　年（分担執筆）など。

フィリピンのサリサリストア

——流通構造と人々のくらし——

Sari-Sari Stores in the Philippines

2021 年 8 月 20 日　第 1 刷発行

著　者：舟橋 豊子

発行者：長谷 雅春

発行所：株式会社五絃舎

　　　　〒 173-0025　東京都板橋区熊野町 46-7-402

　　　　Tel & Fax：03-3957-5587

　　　　e-mail：gogensya@db3.so-net.ne.jp

組　版：Office Five Strings

印　刷：モリモト印刷

ISBN978-4-86434-136-3